힘이 붙는 수학

연산

초등 **2A**

단계별 학습 내용

1 초1 수준

A	B
1단계 9까지의 수	**1단계** 100까지의 수
2단계 9까지의 수를 모으기, 가르기	**2단계** 덧셈과 뺄셈(1)
3단계 덧셈과 뺄셈	**3단계** 덧셈과 뺄셈(2)
4단계 50까지의 수	**4단계** 덧셈과 뺄셈(3)

2 초2 수준

A	B
1단계 세 자리 수	**1단계** 네 자리 수
2단계 덧셈과 뺄셈	**2단계** 곱셈구구
3단계 덧셈과 뺄셈의 관계	**3단계** 길이의 계산
4단계 세 수의 덧셈과 뺄셈	**4단계** 시각과 시간
5단계 곱셈	

3 초3 수준

A	B
1단계 덧셈과 뺄셈	**1단계** 곱셈
2단계 나눗셈	**2단계** 나눗셈
3단계 곱셈	**3단계** 분수
4단계 길이와 시간	**4단계** 들이
5단계 분수와 소수	**5단계** 무게

🐙 전체 학습 설계도를 보고 초등 수학의 과정을 알 수 있습니다.

4 초4 수준

A	B
1단계 큰 수	1단계 분수의 덧셈
2단계 각도	2단계 분수의 뺄셈
3단계 곱셈	3단계 소수
4단계 나눗셈	4단계 소수의 덧셈
	5단계 소수의 뺄셈

5 초5 수준

A	B
1단계 자연수의 혼합 계산	1단계 수의 범위
2단계 약수와 배수	2단계 어림하기
3단계 약분과 통분	3단계 분수의 곱셈
4단계 분수의 덧셈과 뺄셈	4단계 소수의 곱셈
5단계 다각형의 둘레와 넓이	5단계 평균

6 초6 수준

A	B
1단계 분수의 나눗셈	1단계 분수의 나눗셈
2단계 소수의 나눗셈	2단계 소수의 나눗셈
3단계 비와 비율	3단계 비례식
4단계 직육면체의 부피와 겉넓이	4단계 비례배분
	5단계 원의 넓이

이렇게 공부해 봐

1 개념 정리

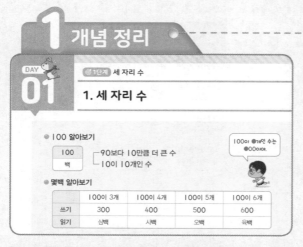

개념 정리 내용을 확인하며 계산 원리를 충분히 이해해요.

2 연산 학습

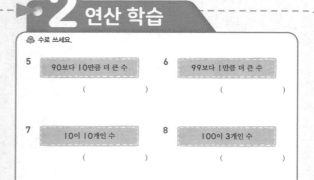

다양한 유형의 연산 문제를 통해 연산력을 강화해요. 매일 연산 학습을 반복하면 더 효과적으로 학습할 수 있어요.

3 생활 속 연산

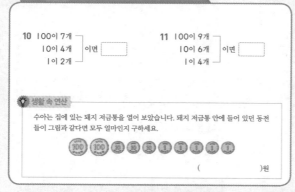

다양한 실생활 속 상황에서 연산력을 키워 문제를 해결해요.

4 마무리 연산

연산 학습을 잘했는지 문제를 풀어 보며 확인해요.

Contents 차례

1

세 자리 수

꾸준하게 풀면 어느새
연산 실력이 엄청 향상되어
있을 거야!

학습 결과와 시간을 써 보세요!

학습 내용	학습 회차	맞힌 개수/걸린 시간
1. 세 자리 수	DAY 01	/
	DAY 02	/
2. 각 자리의 숫자	DAY 03	/
	DAY 04	/
3. 뛰어서 세기	DAY 05	/
	DAY 06	/
4. 수의 크기 비교	DAY 07	/
	DAY 08	/
	DAY 09	/
마무리 연산	DAY 10	/
	DAY 11	/

1. 세 자리 수

● 100 알아보기

100
백

┌ 90보다 10만큼 더 큰 수
└ 10이 10개인 수

100이 ●개인 수는
●00이야.

● 몇백 알아보기

	100이 3개	100이 4개	100이 5개	100이 6개
쓰기	300	400	500	600
읽기	삼백	사백	오백	육백

🐙 수 모형을 보고 ☐ 안에 알맞은 수를 써넣으세요.

1

백 모형	십 모형	일 모형
☐개	☐개	☐개

➡ ☐

2

백 모형	십 모형	일 모형
☐개	☐개	☐개

➡ ☐

3

백 모형	십 모형	일 모형
☐개	☐개	☐개

➡ ☐

4

백 모형	십 모형	일 모형
☐개	☐개	☐개

➡ ☐

🐙 수로 쓰세요.

5

90보다 10만큼 더 큰 수

( )

6

99보다 1만큼 더 큰 수

( )

7

10이 10개인 수

( )

8

100이 3개인 수

( )

9

100이 5개인 수

( )

10

100이 6개인 수

( )

11

100이 8개인 수

( )

12

100이 4개인 수

( )

13

100이 7개인 수

( )

14

100이 9개인 수

( )

1. 세 자리 수

예 245 알아보기

100이 2개 ┐
10이 4개 ├ 이면 245 (이백사십오)
1이 5개 ┘

> 자리의 숫자가 0이면 숫자와
> 자릿값을 모두 읽지 않아.
> 예 205 ➜ 이백오

🐙 수 모형을 보고 ☐ 안에 알맞은 수를 써넣으세요.

1

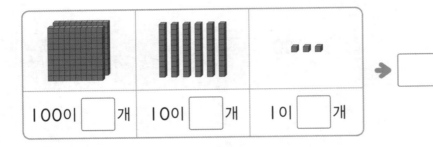

100이 ☐ 개 10이 ☐ 개 1이 ☐ 개 ➜ ☐

2

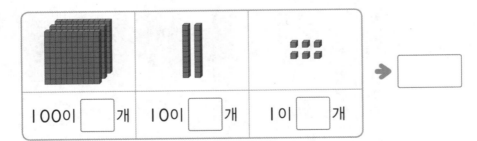

100이 ☐ 개 10이 ☐ 개 1이 ☐ 개 ➜ ☐

3

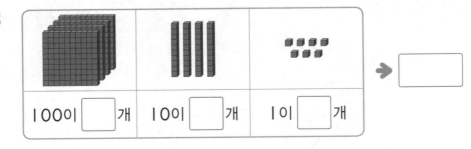

100이 ☐ 개 10이 ☐ 개 1이 ☐ 개 ➜ ☐

🐙 ☐ 안에 알맞은 수를 써넣으세요.

4 100이 5개 ┐
　 10이 8개 ┤ 이면 ☐
　 1이 3개 ┘

5 100이 4개 ┐
　 10이 7개 ┤ 이면 ☐
　 1이 5개 ┘

6 100이 7개 ┐
　 10이 9개 ┤ 이면 ☐
　 1이 6개 ┘

7 100이 3개 ┐
　 10이 6개 ┤ 이면 ☐
　 1이 7개 ┘

8 100이 2개 ┐
　 10이 9개 ┤ 이면 ☐
　 1이 4개 ┘

9 100이 8개 ┐
　 10이 2개 ┤ 이면 ☐
　 1이 7개 ┘

10 100이 7개 ┐
　 10이 4개 ┤ 이면 ☐
　 1이 2개 ┘

11 100이 9개 ┐
　 10이 6개 ┤ 이면 ☐
　 1이 4개 ┘

💡 생활 속 연산

수아는 집에 있는 돼지 저금통을 열어 보았습니다. 돼지 저금통 안에 들어 있던 동전들이 그림과 같다면 모두 얼마인지 구하세요.

(　　　　　　)원

◎ 1단계 세 자리 수

2. 각 자리의 숫자

예 **245의 자릿값 알아보기**

백의 자리	십의 자리	일의 자리
2	4	5

⬇

2	0	0
	4	0
		5

2는 백의 자리 숫자이고, 200을 나타냅니다.
4는 십의 자리 숫자이고, 40을 나타냅니다.
5는 일의 자리 숫자이고, 5를 나타냅니다.

245＝200＋40＋5

🐙 빈칸에 알맞은 수를 써넣으세요.

1 176

백의 자리	십의 자리	일의 자리
1	7	6

⬇

1	0	0

2 382

백의 자리	십의 자리	일의 자리
3	8	2

⬇

3 648

백의 자리	십의 자리	일의 자리
6	4	8

⬇

4 741

백의 자리	십의 자리	일의 자리
7	4	1

⬇

🐙 ☐ 안에 알맞은 수를 써넣으세요.

5

468 ➡

100이 4개	10이 6개	1이 8개
400	☐	☐

468 = ☐ + ☐ + ☐

6

257 ➡

100이 2개	10이 ☐개	1이 ☐개
200	☐	☐

257 = ☐ + ☐ + ☐

7

539 ➡

100이 ☐개	10이 ☐개	1이 ☐개
500	☐	☐

539 = ☐ + ☐ + ☐

8

982 ➡

100이 ☐개	10이 ☐개	1이 ☐개
☐	☐	☐

982 = ☐ + ☐ + ☐

2. 각 자리의 숫자

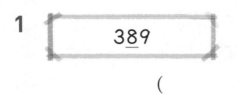 밑줄 친 숫자가 나타내는 값을 쓰세요.

1 3<u>8</u>9

(   )

2 <u>5</u>87

(   )

3 2<u>6</u>4

(   )

4 71<u>5</u>

(   )

5 <u>4</u>72

(   )

6 2<u>1</u>7

(   )

7 63<u>9</u>

(   )

8 <u>1</u>45

(   )

9 4<u>5</u>7

(   )

10 54<u>3</u>

(   )

11 <u>5</u>26

(   )

12 4<u>8</u>1

(   )

🐙 조건에 맞는 수를 찾아 쓰세요.

13

숫자 3이 30을 나타내는 수		
243	530	317

(　　　　　　)

14

숫자 5가 500을 나타내는 수		
157	526	285

(　　　　　　)

15

숫자 1이 100을 나타내는 수		
165	214	781

(　　　　　　)

16

숫자 4가 4를 나타내는 수		
640	384	491

(　　　　　　)

17

숫자 6이 60을 나타내는 수		
460	196	657

(　　　　　　)

18

숫자 9가 900을 나타내는 수		
297	941	479

(　　　　　　)

19

숫자 2가 2를 나타내는 수		
243	752	821

(　　　　　　)

20

숫자 8이 800을 나타내는 수		
486	938	815

(　　　　　　)

💡 **생활 속 연산**

민재는 동생과 가게 놀이를 하고 있습니다. 민재가 가지고 있는 동전 5개로 살 수 있는 물건을 모두 찾아 쓰세요.

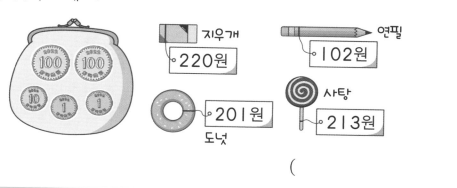

지우개 220원　연필 102원　도넛 201원　사탕 213원

(　　　　　　)

◎ 1단계 세 자리 수

3. 뛰어서 세기

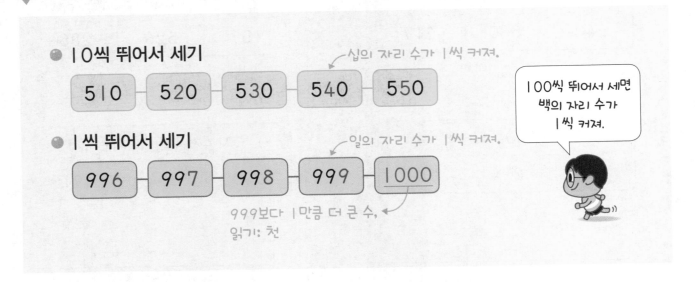

● I0씩 뛰어서 세기

십의 자리 수가 I씩 커져.

| 510 | 520 | 530 | 540 | 550 |

● I씩 뛰어서 세기

일의 자리 수가 I씩 커져.

| 996 | 997 | 998 | 999 | 1000 |

999보다 I만큼 더 큰 수,
읽기: 천

100씩 뛰어서 세면 백의 자리 수가 I씩 커져.

🐙 뛰어서 세어 보세요.

1 100씩 뛰어서 세기

| 230 | 330 | 430 | | | | |

2 I0씩 뛰어서 세기

| 439 | 449 | 459 | | | | |

3 I0씩 뛰어서 세기

| 560 | 570 | 580 | | | | |

4 I씩 뛰어서 세기

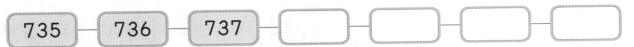

| 735 | 736 | 737 | | | | |

수를 뛰어서 센 것입니다. 빈 곳에 알맞은 수를 써넣으세요.

5

175 | 275 | 375 | | | |

6

234 | 334 | 434 | | | |

7

365 | 366 | 367 | | | |

8

822 | 832 | 842 | | | |

9

547 | 557 | 567 | | | |

10

994 | 995 | 996 | | | |

11
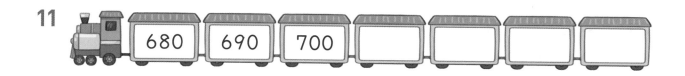
680 | 690 | 700 | | | |

12
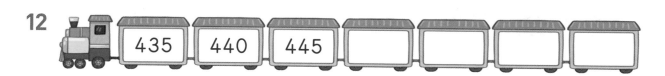
435 | 440 | 445 | | |

3. 뛰어서 세기

🐙 몇씩 뛰어서 센 것인지 알아보세요.

1 [230]—[330]—[430]—[530]
➡ ☐ 씩

백의 자리 수가 1씩 커지고 있어.

2 [452]—[462]—[472]—[482]
➡ ☐ 씩

3 [298]—[299]—[300]—[301]
➡ ☐ 씩

4 [325]—[425]—[525]—[625]
➡ ☐ 씩

5 [415]—[416]—[417]—[418]
➡ ☐ 씩

6 [660]—[670]—[680]—[690]
➡ ☐ 씩

7 [589]—[689]—[789]—[889]
➡ ☐ 씩

8 [883]—[893]—[903]—[913]
➡ ☐ 씩

9 [500]—[550]—[600]—[650]
➡ ☐ 씩

10 [678]—[679]—[680]—[681]
➡ ☐ 씩

11 [435]—[440]—[445]—[450]
➡ ☐ 씩

12 [725]—[775]—[825]—[875]
➡ ☐ 씩

🐙 수를 뛰어서 센 것입니다. 빈 곳에 알맞은 수를 써넣으세요.

13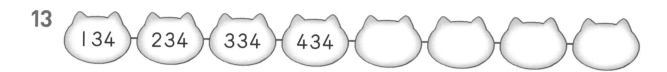
134 234 334 434

14
435 445 455 505

15
266 267 271 272

16
716 726 756 766

17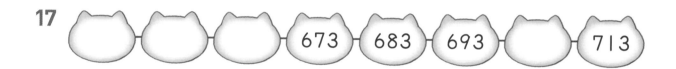
673 683 693 713

18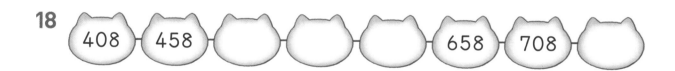
408 458 658 708

💡 생활 속 연산

민재는 지갑에 들어 있는 동전을 세고 있습니다. 민재가 센 돈은 모두 얼마인지 구하세요.

510원까지 센 다음에 10원씩 5번 뛰어서 세었어.

(   )원

4. 수의 크기 비교

● **두 수의 크기 비교**

세 자리 수는 백의 자리 숫자, 십의 자리 숫자, 일의 자리 숫자끼리 차례로 비교합니다.

예 257 ⟨<⟩ 512
└─ 2<5 ─┘

472 ⟨>⟩ 461
└─ 7>6 ─┘

347 ⟨<⟩ 349
└─ 7<9 ─┘

🐙 빈칸에 알맞은 수를 써넣고, 두 수의 크기를 비교하여 ○ 안에 >, <를 알맞게 써넣으세요.

1

	백의 자리	십의 자리	일의 자리
267	2	6	7
519	5	1	9

267 ◯ 519

2

	백의 자리	십의 자리	일의 자리
385			
423			

385 ◯ 423

3

	백의 자리	십의 자리	일의 자리
532			
528			

532 ◯ 528

4

	백의 자리	십의 자리	일의 자리
768			
790			

768 ◯ 790

5

	백의 자리	십의 자리	일의 자리
879			
873			

879 ◯ 873

6

	백의 자리	십의 자리	일의 자리
467			
465			

467 ◯ 465

🐙 두 수의 크기를 비교하여 ◯ 안에 >, <를 알맞게 써넣으세요.

7 426 ◯ 287

8 837 ◯ 704

9 152 ◯ 128

10 428 ◯ 689

11 317 ◯ 306

12 836 ◯ 817

13 923 ◯ 953

14 462 ◯ 428

15 724 ◯ 794

16 650 ◯ 648

17 873 ◯ 817

18 535 ◯ 516

19 901 ◯ 903

20 478 ◯ 479

21 645 ◯ 648

22 842 ◯ 840

4. 수의 크기 비교

예 세 수 675, 453, 449의 크기 비교

① 백의 자리 수 비교

675 453 449

6>4

➜ 675 > 453 > 449

가장 큰 수   가장 작은 수

② 남은 두 수의 십의 자리 수 비교

453 > 449

5>4

🐙 빈칸에 알맞은 수를 써넣고, 가장 큰 수와 가장 작은 수를 찾아 쓰세요.

1

	백의 자리	십의 자리	일의 자리
352	3	5	2
314	3	l	4
725	7	2	5

가장 큰 수: ☐

가장 작은 수: ☐

2

	백의 자리	십의 자리	일의 자리
284			
236			
188			

가장 큰 수: ☐

가장 작은 수: ☐

3

	백의 자리	십의 자리	일의 자리
537			
622			
520			

가장 큰 수: ☐

가장 작은 수: ☐

4

	백의 자리	십의 자리	일의 자리
834			
861			
869			

가장 큰 수: ☐

가장 작은 수: ☐

가장 큰 수에 ○표, 가장 작은 수에 △표 하세요.

5
| 191 | 213 | 176 |

6
| 563 | 594 | 609 |

7
| 438 | 475 | 398 |

8
| 786 | 540 | 546 |

9
| 540 | 489 | 539 |

10
| 329 | 401 | 397 |

11
| 624 | 650 | 568 |

12
| 731 | 803 | 740 |

13
| 855 | 873 | 858 |

14
| 167 | 158 | 201 |

15
| 528 | 637 | 519 |

16
| 278 | 245 | 307 |

17
| 478 | 645 | 672 |

18
| 738 | 763 | 740 |

4. 수의 크기 비교

🐙 두 수의 크기를 비교하여 더 큰 수를 빈 곳에 쓰세요.

1

679 | 734

2

534 | 527

3

572 | 471

4

370 | 363

5

725 | 728

6

467 | 512

7

147 | 302

8

582 | 519

9

628 | 650

10

983 | 956

수의 크기를 비교하여 가장 작은 수부터 차례로 쓰세요.

11

173   215   198

☐ < ☐ < ☐

12

218   370   355

☐ < ☐ < ☐

13

472   317   475

☐ < ☐ < ☐

14

641   721   619

☐ < ☐ < ☐

15

436   483   488

☐ < ☐ < ☐

16

829   894   699

☐ < ☐ < ☐

17

783   497   726

☐ < ☐ < ☐

18

581   587   564

☐ < ☐ < ☐

💡 생활 속 연산

연휘는 과자 할인점에 가서 과자를 골랐습니다. 연휘가 고른 과자가 다음과 같을 때, 비싼 것부터 차례로 쓰세요.

 초콜릿 770원   쿠키 790원   파이 890원

(   )

마무리 연산

🐙 ☐ 안에 알맞은 수를 써넣으세요.

1 100이 4개 ┐
　　10이 6개 ┤ 이면 ☐
　　1이 8개 ┘

2 100이 3개 ┐
　　10이 7개 ┤ 이면 ☐
　　1이 1개 ┘

3 100이 8개 ┐
　　10이 2개 ┤ 이면 ☐
　　1이 5개 ┘

4 100이 6개 ┐
　　10이 4개 ┤ 이면 ☐
　　1이 9개 ┘

5 100이 4개 ┐
　　10이 0개 ┤ 이면 ☐
　　1이 8개 ┘

6 100이 7개 ┐
　　10이 1개 ┤ 이면 ☐
　　1이 7개 ┘

7 100이 6개 ┐
　　10이 2개 ┤ 이면 ☐
　　1이 9개 ┘

8 100이 3개 ┐
　　10이 6개 ┤ 이면 ☐
　　1이 8개 ┘

9 100이 1개 ┐
　　10이 5개 ┤ 이면 ☐
　　1이 8개 ┘

10 100이 8개 ┐
　　10이 3개 ┤ 이면 ☐
　　1이 5개 ┘

🐙 밑줄 친 숫자가 나타내는 값을 쓰세요.

11
472
(　　　　　　　　)

12
143
(　　　　　　　　)

13
379
(　　　　　　　　)

14
613
(　　　　　　　　)

15
264
(　　　　　　　　)

16
832
(　　　　　　　　)

17
575
(　　　　　　　　)

18
777
(　　　　　　　　)

19
831
(　　　　　　　　)

20
629
(　　　　　　　　)

21
901
(　　　　　　　　)

22
852
(　　　　　　　　)

🎯 1단계 세 자리 수

마무리 연산

🐙 수를 뛰어서 센 것입니다. 빈 곳에 알맞은 수를 써넣으세요.

1 172 — 272 — 372 — 472 — 572 — 672 — 772 — 872

2 357 — 367 — 377 — 387 — 397 — 407 — 417 — 427

3 257 — 258 — 259 — 260 — 261 — 262 — 263 — 264

4 243 — 343 — 443 — 543 — 643 — 743 — 843 — 943

5 632 — 642 — 652 — 662 — 672 — 682 — 692 — 702

6 993 — 994 — 995 — 996 — 997 — 998 — 999 — 1000

7 846 — 847 — 848 — 849 — 850 — 851 — 852 — 853

8 228 — 233 — 238 — 243 — 248 — 253 — 258 — 263

9 351 — 401 — 451 — 501 — 551 — 601 — 651 — 701

🐙 두 수의 크기를 비교하여 ○ 안에 >, <를 알맞게 써넣으세요.

10 362 ◯ 175　　　　**11** 264 ◯ 219

12 543 ◯ 482　　　　**13** 745 ◯ 770

14 643 ◯ 649　　　　**15** 868 ◯ 863

16 572 ◯ 388　　　　**17** 726 ◯ 781

18 528 ◯ 476　　　　**19** 583 ◯ 585

20 832 ◯ 799　　　　**21** 938 ◯ 944

22 675 ◯ 630　　　　**23** 461 ◯ 700

24 521 ◯ 525　　　　**25** 814 ◯ 817

2

덧셈과 뺄셈

실수하지 않는 유일한 방법은
연습뿐이야!

학습 결과와 시간을 써 보세요!

학습 내용	학습 회차	맞힌 개수/걸린 시간
1. 받아올림이 있는 (두 자리 수)+(한 자리 수)	DAY 01	/
	DAY 02	/
	DAY 03	/
	DAY 04	/
2. 일의 자리에서 받아올림이 있는 (두 자리 수)+(두 자리 수)	DAY 05	/
	DAY 06	/
	DAY 07	/
	DAY 08	/
3. 십의 자리에서 받아올림이 있는 (두 자리 수)+(두 자리 수)	DAY 09	/
	DAY 10	/
	DAY 11	/
	DAY 12	/
4. 여러 가지 방법으로 덧셈하기	DAY 13	/
	DAY 14	/
	DAY 15	/
5. 받아내림이 있는 (두 자리 수)−(한 자리 수)	DAY 16	/
	DAY 17	/
	DAY 18	/
	DAY 19	/
6. 받아내림이 있는 (몇십)−(몇십몇)	DAY 20	/
	DAY 21	/
	DAY 22	/
	DAY 23	/
7. 받아내림이 있는 (두 자리 수)−(두 자리 수)	DAY 24	/
	DAY 25	/
	DAY 26	/
	DAY 27	/
8. 여러 가지 방법으로 뺄셈하기	DAY 28	/
	DAY 29	/
	DAY 30	/
마무리 연산	DAY 31	/
	DAY 32	/

하나 둘!
하나 둘!

◎ 2단계 덧셈과 뺄셈

1. 받아올림이 있는 (두 자리 수)+(한 자리 수)

예 25+7의 계산

① 일의 자리 계산

```
  1
  2 5
+   7
    2
```
5+7=12

② 십의 자리 계산

```
  1
  2 5
+   7
  3 2
```
1+2=3

일의 자리 수끼리의 합이 10이거나 10보다 크면 십의 자리로 받아올림해.

🐙 ☐ 안에 알맞은 수를 써넣으세요.

1

```
    ☐
  3 6
+   8
  ☐
```
➡
```
    ☐
  3 6
+   8
  ☐ ☐
```
6+8=14   1+3=4

2

```
    ☐
  1 7
+   9
  ☐
```
➡
```
    ☐
  1 7
+   9
  ☐ ☐
```

3

```
    ☐
  5 6
+   7
  ☐
```
➡
```
    ☐
  5 6
+   7
  ☐ ☐
```

4

```
    ☐
  2 4
+   8
  ☐
```
➡
```
    ☐
  2 4
+   8
  ☐ ☐
```

5

```
    ☐
  6 8
+   5
  ☐
```
➡
```
    ☐
  6 8
+   5
  ☐ ☐
```

6

```
    ☐
  3 9
+   4
  ☐
```
➡
```
    ☐
  3 9
+   4
  ☐ ☐
```

🐙 계산을 하세요.

7
```
    1 7
+     8
─────────
```

8
```
    3 8
+     5
─────────
```

9
```
    2 6
+     9
─────────
```

10
```
    4 7
+     8
─────────
```

11
```
    2 9
+     7
─────────
```

12
```
    6 4
+     8
─────────
```

13
```
    7 4
+     9
─────────
```

14
```
    5 6
+     5
─────────
```

15
```
    3 4
+     8
─────────
```

16
```
    5 8
+     5
─────────
```

17
```
    8 6
+     4
─────────
```

18
```
    4 8
+     7
─────────
```

19
```
    7 9
+     8
─────────
```

20
```
    5 3
+     9
─────────
```

21
```
    6 3
+     8
─────────
```

◎ 2단계 덧셈과 뺄셈

1. 받아올림이 있는 (두 자리 수)+(한 자리 수)

🐙 계산을 하세요.

1 49+3

2 25+8

3 67+4

4 36+8

5 75+9

6 16+7

7 58+6

8 24+8

9 45+8

10 17+5

11 69+6

12 77+6

13 54+9

14 28+7

15 35+8

16 78+7

17 83+9

18 86+6

🐙 빈 곳에 알맞은 수를 써넣으세요.

19

20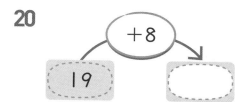

21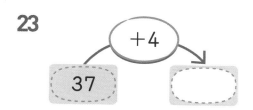

22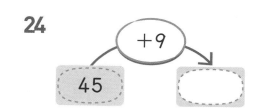

23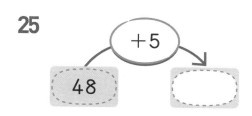

24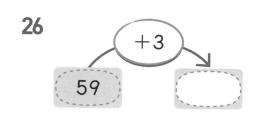

25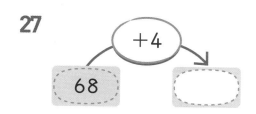

26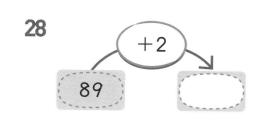

27

28

1. 받아올림이 있는 (두 자리 수)+(한 자리 수)

🐙 계산을 하세요.

1
```
  2 4
+   8
─────
```

2
```
  3 8
+   4
─────
```

3
```
  1 7
+   8
─────
```

4
```
  5 8
+   3
─────
```

5
```
  6 5
+   7
─────
```

6
```
  7 3
+   7
─────
```

7
```
  3 5
+   9
─────
```

8
```
  8 8
+   9
─────
```

9
```
  4 7
+   6
─────
```

10
```
  2 1
+   9
─────
```

11
```
  3 3
+   8
─────
```

12
```
  5 6
+   6
─────
```

13
```
  6 9
+   9
─────
```

14
```
  4 7
+   8
─────
```

15
```
  7 5
+   7
─────
```

🐙 두 수의 합을 빈 곳에 써넣으세요.

16

17

18

19

20

21

22

23

24

25

26

27

◎ 2단계 덧셈과 뺄셈

1. 받아올림이 있는 (두 자리 수)+(한 자리 수)

🐙 계산을 하세요.

1 15+9	**2** 18+3	**3** 21+9
4 23+8	**5** 27+5	**6** 33+8
7 36+6	**8** 39+9	**9** 43+7
10 47+4	**11** 49+6	**12** 54+8
13 58+6	**14** 59+9	**15** 62+8
16 65+7	**17** 74+7	**18** 87+4

🐙 왼쪽에 적힌 두 수의 합과 오른쪽의 수가 같도록 빈칸에 알맞은 수를 써넣으세요.

19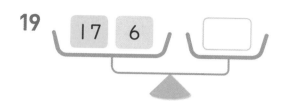

20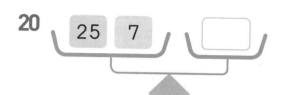

21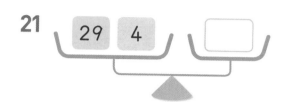

22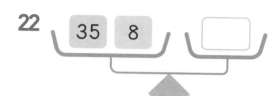

23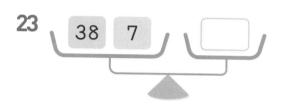

24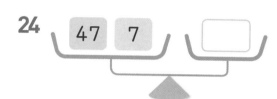

25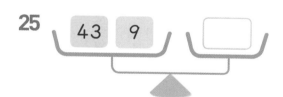

26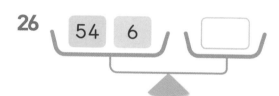

27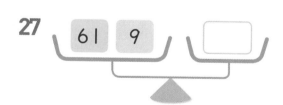

28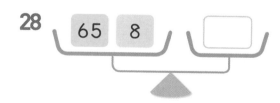

 생활 속 연산

준서와 어머니의 나이의 합은 몇 살인지 구하세요.

어머니의 나이는 37살이고,
나는 9살이야.

(   )살

◎ 2단계 덧셈과 뺄셈

2. 일의 자리에서 받아올림이 있는 (두 자리 수)+(두 자리 수)

예 24+18의 계산

① 일의 자리 계산

```
    1
    2  4
+   1  8
───────
       2
```
4+8=12

② 십의 자리 계산

```
    1
    2  4
+   1  8
───────
    4  2
```
1+2+1=4

일의 자리에서 받아올림한 수는 십의 자리 수와 더해!

🐙 ☐ 안에 알맞은 수를 써넣으세요.

1

```
  ☐
  1  7
+ 3  6
──────
    ☐
```
→
```
   ☐
   1  7
+  3  6
───────
   ☐  ☐
```
7+6=13   1+1+3=5

2

```
  ☐
  2  9
+ 4  6
──────
    ☐
```
→
```
   ☐
   2  9
+  4  6
───────
   ☐  ☐
```

3

```
  ☐
  3  7
+ 2  5
──────
    ☐
```
→
```
   ☐
   3  7
+  2  5
───────
   ☐  ☐
```

4

```
  ☐
  5  3
+ 1  8
──────
    ☐
```
→
```
   ☐
   5  3
+  1  8
───────
   ☐  ☐
```

5

```
  ☐
  4  4
+ 2  8
──────
    ☐
```
→
```
   ☐
   4  4
+  2  8
───────
   ☐  ☐
```

6

```
  ☐
  6  5
+ 1  9
──────
    ☐
```
→
```
   ☐
   6  5
+  1  9
───────
   ☐  ☐
```

🐙 계산을 하세요.

7
$$\begin{array}{r} 1\ 5 \\ +\ 2\ 6 \\ \hline \end{array}$$

8
$$\begin{array}{r} 1\ 7 \\ +\ 3\ 8 \\ \hline \end{array}$$

9
$$\begin{array}{r} 2\ 5 \\ +\ 2\ 7 \\ \hline \end{array}$$

10
$$\begin{array}{r} 2\ 9 \\ +\ 4\ 3 \\ \hline \end{array}$$

11
$$\begin{array}{r} 3\ 6 \\ +\ 1\ 8 \\ \hline \end{array}$$

12
$$\begin{array}{r} 3\ 9 \\ +\ 2\ 4 \\ \hline \end{array}$$

13
$$\begin{array}{r} 4\ 3 \\ +\ 4\ 7 \\ \hline \end{array}$$

14
$$\begin{array}{r} 4\ 6 \\ +\ 1\ 7 \\ \hline \end{array}$$

15
$$\begin{array}{r} 4\ 9 \\ +\ 3\ 2 \\ \hline \end{array}$$

16
$$\begin{array}{r} 5\ 2 \\ +\ 2\ 9 \\ \hline \end{array}$$

17
$$\begin{array}{r} 5\ 3 \\ +\ 1\ 9 \\ \hline \end{array}$$

18
$$\begin{array}{r} 5\ 8 \\ +\ 2\ 5 \\ \hline \end{array}$$

19
$$\begin{array}{r} 6\ 4 \\ +\ 1\ 8 \\ \hline \end{array}$$

20
$$\begin{array}{r} 6\ 6 \\ +\ 2\ 8 \\ \hline \end{array}$$

21
$$\begin{array}{r} 7\ 1 \\ +\ 1\ 9 \\ \hline \end{array}$$

◎ 2단계 덧셈과 뺄셈

2. 일의 자리에서 받아올림이 있는 (두 자리 수)+(두 자리 수)

🐙 계산을 하세요.

1 19+35

2 15+27

3 22+39

4 26+27

5 29+41

6 34+37

7 36+18

8 39+45

9 46+15

10 48+27

11 55+18

12 59+22

13 63+17

14 67+27

15 78+15

16 68+19

17 53+37

18 77+14

🐙 ☐ 안에 알맞은 수를 써넣으세요.

19 1 2
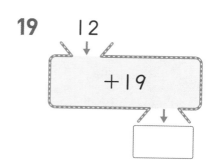
+19

20 1 6
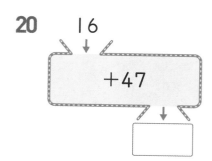
+47

21 24
+37

22 38
+33

23 43
+27

24 54
+26

25 69
+23

26 65
+17

◎ 2단계 덧셈과 뺄셈

2. 일의 자리에서 받아올림이 있는 (두 자리 수)+(두 자리 수)

🐙 계산을 하세요.

1
```
    1 6
 +  2 8
```

2
```
    1 8
 +  1 5
```

3
```
    2 5
 +  2 7
```

4
```
    2 9
 +  3 3
```

5
```
    3 7
 +  1 6
```

6
```
    4 8
 +  2 4
```

7
```
    4 9
 +  3 3
```

8
```
    6 4
 +  1 9
```

9
```
    6 8
 +  2 6
```

10
```
    6 1
 +  2 9
```

11
```
    3 7
 +  2 8
```

12
```
    3 9
 +  4 6
```

13
```
    5 6
 +  1 6
```

14
```
    5 9
 +  2 2
```

15
```
    7 5
 +  1 7
```

🐙 두 수의 합을 빈칸에 써넣으세요.

16

16	15

17

23	48

18

27	26

19

35	19

20

38	33

21

46	27

22

49	45

23

58	19

24

54	26

25

62	28

26

63	19

27

76	15

◎ 2단계 덧셈과 뺄셈

2. 일의 자리에서 받아올림이 있는
(두 자리 수)+(두 자리 수)

🐙 계산을 하세요.

1 14+29

2 17+44

3 21+39

4 24+18

5 28+65

6 32+29

7 37+38

8 28+49

9 39+17

10 43+28

11 44+16

12 46+48

13 49+37

14 57+34

15 54+29

16 58+17

17 64+17

18 67+25

🐙 빈 곳에 알맞은 수를 써넣으세요.

19
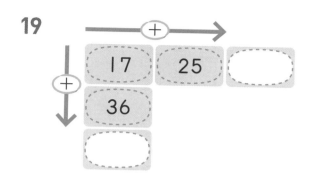

20
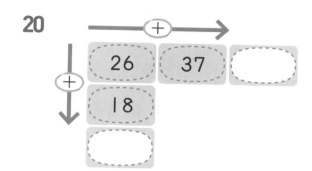

21
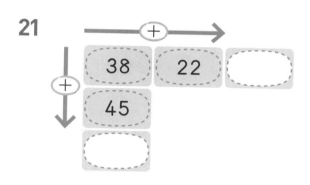

22
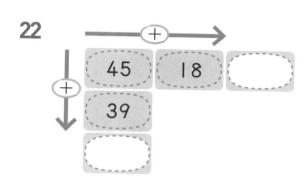

23
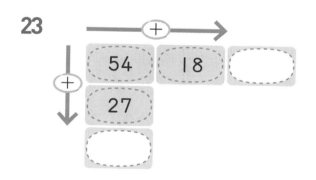

24
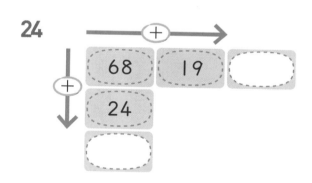

💡 생활 속 연산

민재와 현아가 같은 동화책을 읽고 있습니다. 현아는 몇 쪽까지 읽었는지 구하세요.

나는 이 책을 지금까지 28쪽 읽었어.

민재

나는 민재보다 13쪽 더 많이 읽었지.

현아

(   )쪽

◎ 2단계 덧셈과 뺄셈

3. 십의 자리에서 받아올림이 있는 (두 자리 수)+(두 자리 수)

예 54+72의 계산

① 일의 자리 계산

$$
\begin{array}{r}
5\ 4 \\
+\ 7\ 2 \\
\hline
6
\end{array}
$$

4+2=6

② 십의 자리 계산

$$
\begin{array}{r}
1\ \ \ \\
5\ 4 \\
+\ 7\ 2 \\
\hline
1\ 2\ 6
\end{array}
$$

5+7=12

십의 자리에서 받아올림한 수는 백의 자리에 써야 해.

🐙 ☐ 안에 알맞은 수를 써넣으세요.

1

$$
\begin{array}{r}
4\ 2 \\
+\ 8\ 6 \\
\hline
\ \square
\end{array}
\ \Rightarrow\
\begin{array}{r}
\square \\
4\ 2 \\
+\ 8\ 6 \\
\hline
\square\ \square\ \square
\end{array}
$$

2+6=8   4+8=12

2

$$
\begin{array}{r}
6\ 4 \\
+\ 8\ 1 \\
\hline
\ \square
\end{array}
\ \Rightarrow\
\begin{array}{r}
\square \\
6\ 4 \\
+\ 8\ 1 \\
\hline
\square\ \square\ \square
\end{array}
$$

3

$$
\begin{array}{r}
5\ 3 \\
+\ 9\ 4 \\
\hline
\ \square
\end{array}
\ \Rightarrow\
\begin{array}{r}
\square \\
5\ 3 \\
+\ 9\ 4 \\
\hline
\square\ \square\ \square
\end{array}
$$

4

$$
\begin{array}{r}
7\ 5 \\
+\ 8\ 2 \\
\hline
\ \square
\end{array}
\ \Rightarrow\
\begin{array}{r}
\square \\
7\ 5 \\
+\ 8\ 2 \\
\hline
\square\ \square\ \square
\end{array}
$$

십의 자리에서 받아올림한 수를 잊지마!

5

$$
\begin{array}{r}
\square \\
3\ 3 \\
+\ 9\ 8 \\
\hline
\ \square
\end{array}
\ \Rightarrow\
\begin{array}{r}
\square\ \square \\
3\ 3 \\
+\ 9\ 8 \\
\hline
\square\ \square\ \square
\end{array}
$$

6

$$
\begin{array}{r}
\square \\
2\ 6 \\
+\ 9\ 5 \\
\hline
\ \square
\end{array}
\ \Rightarrow\
\begin{array}{r}
\square\ \square \\
2\ 6 \\
+\ 9\ 5 \\
\hline
\square\ \square\ \square
\end{array}
$$

🐙 계산을 하세요.

7
```
    1  3
+   9  4
─────────
```

8
```
    2  4
+   9  2
─────────
```

9
```
    3  6
+   8  2
─────────
```

10
```
    3  7
+   9  1
─────────
```

11
```
    4  3
+   7  4
─────────
```

12
```
    4  2
+   8  3
─────────
```

13
```
    5  4
+   7  3
─────────
```

14
```
    5  6
+   9  2
─────────
```

15
```
    6  2
+   5  1
─────────
```

16
```
    6  5
+   8  5
─────────
```

17
```
    6  9
+   7  5
─────────
```

18
```
    7  3
+   4  8
─────────
```

19
```
    7  7
+   6  3
─────────
```

20
```
    8  5
+   4  7
─────────
```

21
```
    8  6
+   7  9
─────────
```

🎯 2단계 덧셈과 뺄셈

3. 십의 자리에서 받아올림이 있는 (두 자리 수)+(두 자리 수)

🐙 계산을 하세요.

1 36+72

2 38+91

3 42+74

4 21+86

5 84+94

6 52+91

7 71+83

8 43+65

9 73+65

10 49+96

11 55+76

12 63+48

13 58+87

14 69+53

15 66+84

16 74+59

17 78+67

18 87+25

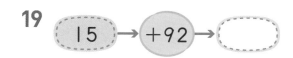

빈 곳에 알맞은 수를 써넣으세요.

19 15 → +92 → ☐

20 23 → +95 → ☐

21 63 → +64 → ☐

22 36 → +82 → ☐

23 33 → +95 → ☐

24 41 → +75 → ☐

25 47 → +85 → ☐

26 54 → +68 → ☐

27 27 → +87 → ☐

28 67 → +83 → ☐

29 79 → +44 → ☐

30 84 → +58 → ☐

◎ 2단계 덧셈과 뺄셈

3. 십의 자리에서 받아올림이 있는 (두 자리 수)+(두 자리 수)

🐙 계산을 하세요.

1
```
    2 6
+   8 3
```

2
```
    3 3
+   8 4
```

3
```
    1 1
+   9 6
```

4
```
    4 5
+   6 3
```

5
```
    5 2
+   7 6
```

6
```
    5 4
+   7 2
```

7
```
    6 4
+   5 3
```

8
```
    8 2
+   4 2
```

9
```
    7 4
+   7 2
```

10
```
    3 8
+   9 4
```

11
```
    4 6
+   6 8
```

12
```
    2 9
+   8 4
```

13
```
    6 6
+   5 6
```

14
```
    6 9
+   7 5
```

15
```
    9 5
+   8 7
```

🐙 두 수의 합을 빈칸에 써넣으세요.

16
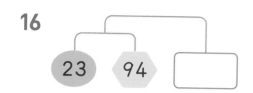

17
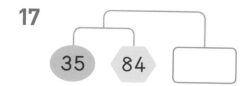

18
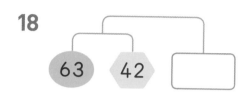

19
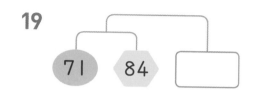

20
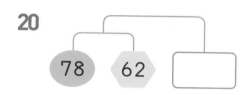

21
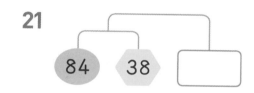

22
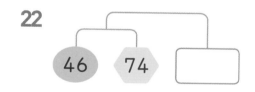

23
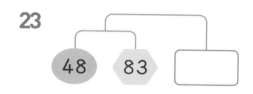

24
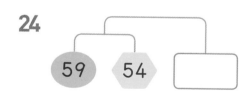

25
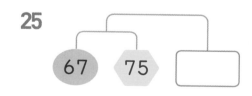

26
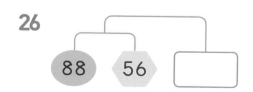

27
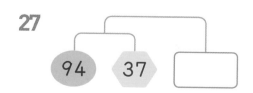

2단계 덧셈과 뺄셈

3. 십의 자리에서 받아올림이 있는 (두 자리 수)+(두 자리 수)

🐙 계산을 하세요.

1 32+76

2 63+44

3 46+72

4 53+62

5 61+65

6 74+64

7 37+81

8 55+72

9 83+62

10 43+78

11 44+86

12 56+48

13 78+37

14 52+98

15 84+29

16 48+87

17 64+67

18 87+55

🐙 ☐ 안에 알맞은 수를 써넣으세요.

19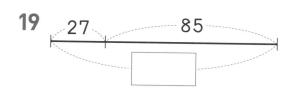

20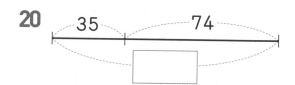

21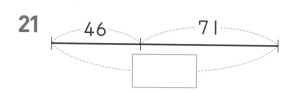

22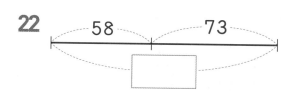

23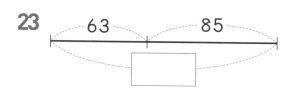

24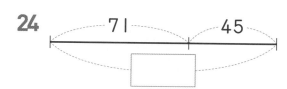

25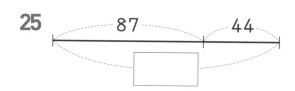

26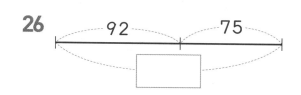

💡 생활 속 연산

준서가 넘은 줄넘기는 모두 몇 번인지 구하세요.

1회에는 78번, 2회에는 86번 넘었어.

(   )번

◎2단계 덧셈과 뺄셈

4. 여러 가지 방법으로 덧셈하기

예 38+17을 여러 가지 방법으로 계산하기

방법 1

$$38+17=38+10+7$$
$$=48+7$$
$$=55$$

방법 2

$$38+17=30+10+8+7$$
$$=40+15$$
$$=55$$

방법 3

$$38+17=38+2+15$$
$$=40+15$$
$$=55$$

방법 4

$$38+17=35+3+17$$
$$=35+20$$
$$=55$$

🐙 ☐ 안에 알맞은 수를 써넣으세요.

1 $26+18=26+\boxed{}+8$
$\qquad =\boxed{}+8$
$\qquad =\boxed{}$

2 $37+29=30+\boxed{}+7+9$
$\qquad =\boxed{}+16$
$\qquad =\boxed{}$

3 $44+27=44+\boxed{}+21$
$\qquad =\boxed{}+21$
$\qquad =\boxed{}$

4 $68+14=62+\boxed{}+14$
$\qquad =\boxed{}+\boxed{}$
$\qquad =\boxed{}$

🐙 주어진 식을 여러 가지 방법으로 계산하려고 합니다. ☐ 안에 알맞은 수를 써넣으세요.

5

$23+38$

$23+38=23+30+\boxed{}$

$=53+\boxed{}=\boxed{}$

$23+38=20+30+3+8$

$=50+\boxed{}=\boxed{}$

$23+38=23+\boxed{}+31$

$=\boxed{}+31=\boxed{}$

$23+38=21+\boxed{}+38$

$=21+\boxed{}=\boxed{}$

6

$59+16$

$59+16=59+\boxed{}+6$

$=\boxed{}+6=\boxed{}$

$59+16=50+10+9+\boxed{}$

$=\boxed{}+15=\boxed{}$

$59+16=59+1+\boxed{}$

$=60+\boxed{}=\boxed{}$

$59+16=\boxed{}+4+16$

$=\boxed{}+20=\boxed{}$

7

$47+25$

$47+25=47+20+\boxed{}$

$=\boxed{}+\boxed{}=\boxed{}$

$47+25=40+20+7+\boxed{}$

$=60+\boxed{}=\boxed{}$

$47+25=47+\boxed{}+22$

$=\boxed{}+22=\boxed{}$

$47+25=42+\boxed{}+25$

$=42+\boxed{}=\boxed{}$

4. 여러 가지 방법으로 덧셈하기

🐙 ☐ 안에 알맞은 수를 써넣으세요.

1 $25+18=25+\boxed{}+8$

$\quad=\boxed{}+8=\boxed{}$

↳ 18을 10+8로 생각하고 계산해.

2 $53+29=50+\boxed{}+3+9$

$\quad=\boxed{}+12=\boxed{}$

↳ 53을 50+3, 29를 20+9로 생각하고 계산해.

3 $56+37=56+\boxed{}+7$

$\quad=\boxed{}+7=\boxed{}$

4 $27+34=20+\boxed{}+7+4$

$\quad=\boxed{}+11=\boxed{}$

5 $37+59=37+\boxed{}+9$

$\quad=\boxed{}+9=\boxed{}$

6 $54+17=50+\boxed{}+4+7$

$\quad=\boxed{}+11=\boxed{}$

7 $34+47=34+\boxed{}+41$

$\quad=\boxed{}+41=\boxed{}$

↳ 47을 6+41로 생각하고 계산해.

8 $48+29=47+\boxed{}+29$

$\quad=47+\boxed{}=\boxed{}$

↳ 48을 47+1로 생각하고 계산해.

9 $28+34=28+\boxed{}+32$

$\quad=\boxed{}+32=\boxed{}$

10 $78+15=73+\boxed{}+15$

$\quad=73+\boxed{}=\boxed{}$

11 $46+38=46+\boxed{}+34$

$\quad=\boxed{}+34=\boxed{}$

12 $26+68=24+\boxed{}+68$

$\quad=24+\boxed{}=\boxed{}$

🐙 주어진 방법으로 계산해 보세요.

13 64를 60+4로 생각하여 계산하기

$$28+64 = 28+60+4$$
$$= 88+4$$
$$= 92$$

14 28을 20+8로 생각하여 계산하기

$$53+28$$

15 36을 30+6, 19를 10+9로 생각하여 계산하기

$$36+19$$

16 45를 40+5, 27을 20+7로 생각하여 계산하기

$$45+27$$

17 18을 3+15로 생각하여 계산하기

$$57+18$$

18 23을 1+22로 생각하여 계산하기

$$49+23$$

19 67을 66+1로 생각하여 계산하기

$$67+29$$

20 38을 33+5로 생각하여 계산하기

$$38+15$$

◎ 2단계 덧셈과 뺄셈

4. 여러 가지 방법으로 덧셈하기

 보기 와 같은 방법으로 계산하세요.

보기

$$15+57=15+50+7$$
$$=65+7$$
$$=72$$

1 $49+14$

2 $38+27$

3 $24+58$

보기

$$15+57=10+50+5+7$$
$$=60+12$$
$$=72$$

4 $34+28$

5 $56+16$

6 $48+37$

보기

$$15+57=15+5+52$$
$$=20+52$$
$$=72$$

7 $28+63$

8 $59+16$

9 $37+28$

🐙 여러 가지 방법으로 계산해 보세요.

10 48+18

방법 1

방법 2

11 29+46

방법 1

방법 2

12 55+37

방법 1

방법 2

13 35+39

방법 1

방법 2

 생활 속 연산

현진이의 책장에는 동화책이 27권, 과학책이 68권 꽂혀 있습니다. 책장에 있는 동화책과 과학책은 모두 몇 권인지 구하세요.

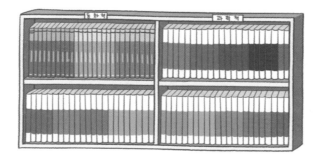

(   )권

🎯 2단계 덧셈과 뺄셈

5. 받아내림이 있는 (두 자리 수)−(한 자리 수)

예 34−9의 계산

① 일의 자리 계산

$$\begin{array}{r} 2\ 10 \\ \cancel{3}\ \ 4 \\ -\quad 9 \\ \hline \quad 5 \end{array}$$

$10+4-9=5$ ↗

➡

② 십의 자리 계산

$$\begin{array}{r} 2\ 10 \\ \cancel{3}\ \ 4 \\ -\quad 9 \\ \hline 2\ \ 5 \end{array}$$

$3-1=2$ ↗

일의 자리 수끼리 뺄 수 없으면 십의 자리에서 10을 받아내림해.

🐙 ☐ 안에 알맞은 수를 써넣으세요.

1

$$\begin{array}{r} \square\ \square \\ \cancel{2}\ \ 4 \\ -\quad 6 \\ \hline \quad \square \end{array}$$

$10+4-6=8$ ↗

➡

$$\begin{array}{r} \square\ \square \\ \cancel{2}\ \ 4 \\ -\quad 6 \\ \hline \quad \square \end{array}$$

$2-1=1$ ↗

2

$$\begin{array}{r} \square\ \square \\ \cancel{3}\ \ 6 \\ -\quad 9 \\ \hline \quad \square \end{array}$$

➡

$$\begin{array}{r} \square\ \square \\ \cancel{3}\ \ 6 \\ -\quad 9 \\ \hline \square\ \square \end{array}$$

3

$$\begin{array}{r} \square\ \square \\ \cancel{4}\ \ 2 \\ -\quad 5 \\ \hline \quad \square \end{array}$$

➡

$$\begin{array}{r} \square\ \square \\ \cancel{4}\ \ 2 \\ -\quad 5 \\ \hline \square\ \square \end{array}$$

4

$$\begin{array}{r} \square\ \square \\ \cancel{4}\ \ 1 \\ -\quad 7 \\ \hline \quad \square \end{array}$$

➡

$$\begin{array}{r} \square\ \square \\ \cancel{4}\ \ 1 \\ -\quad 7 \\ \hline \square\ \square \end{array}$$

5

$$\begin{array}{r} \square\ \square \\ \cancel{5}\ \ 3 \\ -\quad 6 \\ \hline \quad \square \end{array}$$

➡

$$\begin{array}{r} \square\ \square \\ \cancel{5}\ \ 3 \\ -\quad 6 \\ \hline \square\ \square \end{array}$$

6

$$\begin{array}{r} \square\ \square \\ \cancel{7}\ \ 3 \\ -\quad 8 \\ \hline \quad \square \end{array}$$

➡

$$\begin{array}{r} \square\ \square \\ \cancel{7}\ \ 3 \\ -\quad 8 \\ \hline \square\ \square \end{array}$$

🐙 계산을 하세요.

7

```
    3 4
-     8
```

8

```
    3 2
-     5
```

9

```
    4 4
-     9
```

10

```
    4 7
-     8
```

11

```
    5 2
-     6
```

12

```
    5 7
-     9
```

13

```
    5 5
-     7
```

14

```
    6 1
-     5
```

15

```
    6 4
-     8
```

16

```
    6 7
-     8
```

17

```
    7 1
-     7
```

18

```
    7 6
-     9
```

19

```
    7 7
-     8
```

20

```
    8 4
-     7
```

21

```
    9 2
-     9
```

🎯 2단계 덧셈과 뺄셈

5. 받아내림이 있는 (두 자리 수)-(한 자리 수)

🐙 계산을 하세요.

1 25−6

2 31−4

3 42−4

4 35−8

5 37−9

6 43−8

7 46−9

8 51−3

9 54−6

10 64−9

11 66−8

12 74−5

13 76−9

14 82−6

15 85−7

16 88−9

17 91−9

18 95−7

🐙 빈 곳에 알맞은 수를 써넣으세요.

19

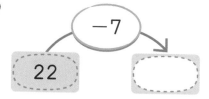

20

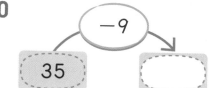

21

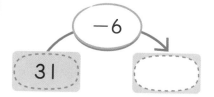

22

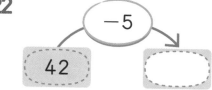

23

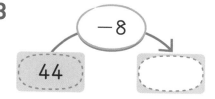

24

25

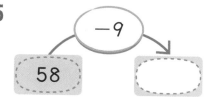

26

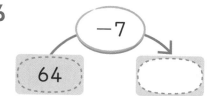

27

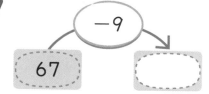

28

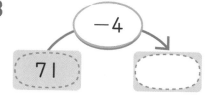

5. 받아내림이 있는 (두 자리 수)-(한 자리 수)

🐙 계산을 하세요.

| 1 | $\begin{array}{r} 3\ 4 \\ -\quad 5 \\ \hline \end{array}$ | 2 | $\begin{array}{r} 3\ 7 \\ -\quad 9 \\ \hline \end{array}$ | 3 | $\begin{array}{r} 4\ 3 \\ -\quad 4 \\ \hline \end{array}$ |

| 4 | $\begin{array}{r} 4\ 5 \\ -\quad 7 \\ \hline \end{array}$ | 5 | $\begin{array}{r} 5\ 1 \\ -\quad 3 \\ \hline \end{array}$ | 6 | $\begin{array}{r} 5\ 4 \\ -\quad 8 \\ \hline \end{array}$ |

| 7 | $\begin{array}{r} 6\ 5 \\ -\quad 9 \\ \hline \end{array}$ | 8 | $\begin{array}{r} 7\ 3 \\ -\quad 6 \\ \hline \end{array}$ | 9 | $\begin{array}{r} 8\ 6 \\ -\quad 9 \\ \hline \end{array}$ |

| 10 | $\begin{array}{r} 2\ 1 \\ -\quad 9 \\ \hline \end{array}$ | 11 | $\begin{array}{r} 3\ 3 \\ -\quad 7 \\ \hline \end{array}$ | 12 | $\begin{array}{r} 4\ 6 \\ -\quad 9 \\ \hline \end{array}$ |

| 13 | $\begin{array}{r} 6\ 1 \\ -\quad 5 \\ \hline \end{array}$ | 14 | $\begin{array}{r} 8\ 4 \\ -\quad 8 \\ \hline \end{array}$ | 15 | $\begin{array}{r} 9\ 5 \\ -\quad 7 \\ \hline \end{array}$ |

🐙 두 수의 차를 빈 곳에 써넣으세요.

16

17

18

19

20

21

22

23

24

25

26

27

2단계 덧셈과 뺄셈

5. 받아내림이 있는 (두 자리 수)-(한 자리 수)

🐙 계산을 하세요.

1 $25-7$

2 $28-9$

3 $32-4$

4 $44-6$

5 $51-9$

6 $54-7$

7 $57-9$

8 $62-6$

9 $65-8$

10 $64-5$

11 $72-4$

12 $75-8$

13 $78-9$

14 $83-4$

15 $86-7$

16 $81-3$

17 $92-5$

18 $96-7$

🐙 빈 곳에 알맞은 수를 써넣으세요.

19 　33 － 5 ＝ ◯

20 　35 － 6 ＝ ◯

21 　41 － 7 ＝ ◯

22 　46 － 9 ＝ ◯

23 　53 － 7 ＝ ◯

24 　62 － 8 ＝ ◯

25 　74 － 8 ＝ ◯

26 　76 － 9 ＝ ◯

27 　84 － 6 ＝ ◯

28 　94 － 5 ＝ ◯

💡 **생활 속 연산**

민재가 먹고 남은 귤은 몇 개인지 구하세요.

> 식탁 위에 있던 귤 32개 중에서 8개를 먹었어.

(　　　　　　　)개

🎯 2단계 덧셈과 뺄셈

6. 받아내림이 있는 (몇십)-(몇십몇)

예 40−14의 계산

① 일의 자리 계산

```
  3 10
  4  0
−  1  4
      6
```
10−4=6

② 십의 자리 계산

```
  3 10
  4  0
−  1  4
  2  6
```
4−1−1=2

0에서 몇을 뺄 수 없으면 십의 자리에서 10을 받아내림해.

🐙 □ 안에 알맞은 수를 써넣으세요.

1
```
  3  0
−  1  5
```
➡
```
  3  0
−  1  5
```
10−5=5   3−1−1=1

2
```
  4  0
−  2  1
```
➡
```
  4  0
−  2  1
```

3
```
  5  0
−  2  6
```
➡
```
  5  0
−  2  6
```

4
```
  6  0
−  1  7
```
➡
```
  6  0
−  1  7
```

5
```
  7  0
−  4  8
```
➡
```
  7  0
−  4  8
```

6
```
  8  0
−  3  4
```
➡
```
  8  0
−  3  4
```

🐙 계산을 하세요.

7
```
    2 0
-   1 1
```

8
```
    3 0
-   1 9
```

9
```
    3 0
-   2 3
```

10
```
    4 0
-   1 2
```

11
```
    4 0
-   2 6
```

12
```
    5 0
-   1 5
```

13
```
    5 0
-   3 7
```

14
```
    6 0
-   2 3
```

15
```
    6 0
-   3 2
```

16
```
    7 0
-   2 7
```

17
```
    7 0
-   4 4
```

18
```
    8 0
-   3 1
```

19
```
    8 0
-   5 8
```

20
```
    9 0
-   2 3
```

21
```
    9 0
-   4 9
```

◎ 2단계 덧셈과 뺄셈

6. 받아내림이 있는 (몇십)-(몇십몇)

🐙 계산을 하세요.

1 30-16

2 30-22

3 40-12

4 40-21

5 50-25

6 50-17

7 60-26

8 60-31

9 60-37

10 70-17

11 70-24

12 70-52

13 80-47

14 80-36

15 80-51

16 90-64

17 90-43

18 90-66

🐙 ☐ 안에 알맞은 수를 써넣으세요.

19 30
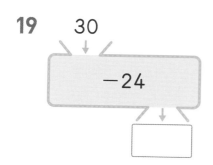

20 40
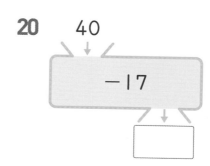

21 50
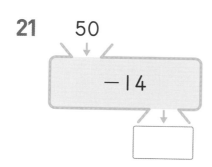

22 50
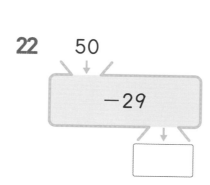

23 60
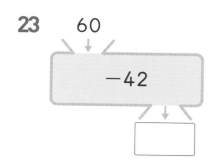

24 70
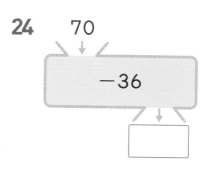

25 80
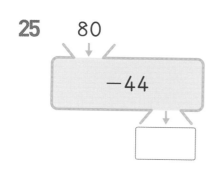

26 90
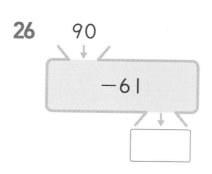

◎ 2단계 덧셈과 뺄셈

6. 받아내림이 있는 (몇십)-(몇십몇)

🐙 계산을 하세요.

1
```
    4 0
  - 1 9
```

2
```
    5 0
  - 2 6
```

3
```
    5 0
  - 4 4
```

4
```
    6 0
  - 1 7
```

5
```
    6 0
  - 3 3
```

6
```
    7 0
  - 2 9
```

7
```
    7 0
  - 4 3
```

8
```
    8 0
  - 3 6
```

9
```
    9 0
  - 5 5
```

10
```
    3 0
  - 1 1
```

11
```
    6 0
  - 3 8
```

12
```
    7 0
  - 6 4
```

13
```
    8 0
  - 3 5
```

14
```
    9 0
  - 4 7
```

15
```
    9 0
  - 7 6
```

🐙 두 수의 차를 빈칸에 써넣으세요.

16
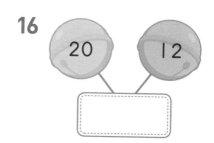

17
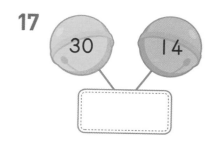

18
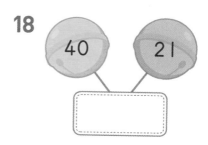

19
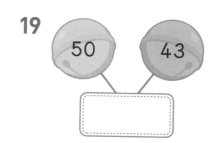

20
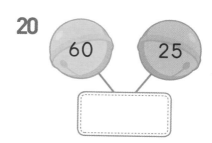

21
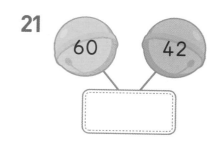

22
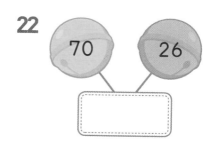

23
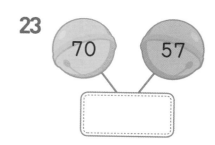

24
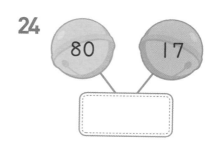

25
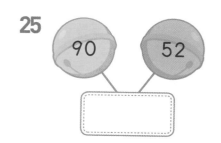

6. 받아내림이 있는 (몇십)-(몇십몇)

🐙 계산을 하세요.

1 20−11

2 30−13

3 30−23

4 40−14

5 40−28

6 40−31

7 50−21

8 50−37

9 50−19

10 60−17

11 60−39

12 60−43

13 70−35

14 70−42

15 80−56

16 80−26

17 90−45

18 90−62

🐙 같은 색 선을 따라 계산하여 빈칸에 알맞은 수를 써넣으세요.

19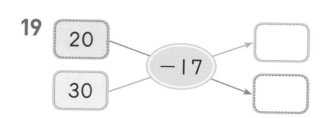

20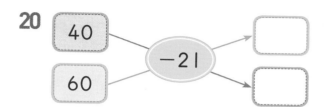

21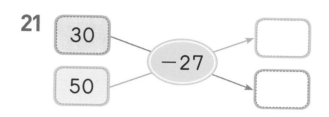

22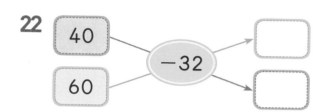

23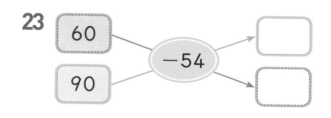

24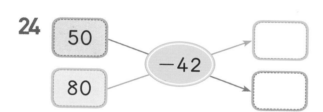

25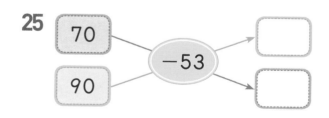

26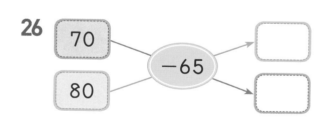

💡 생활 속 연산

이준이는 색종이를 10장씩 5묶음 가지고 있습니다. 이 중에서 34장을 리아에게 주었다면 남은 색종이는 몇 장인지 구하세요.

(　　　　　　　)장

◎ 2단계 덧셈과 뺄셈

7. 받아내림이 있는 (두 자리 수)-(두 자리 수)

예 34-15의 계산

① 일의 자리 계산

$$\begin{array}{r} \overset{2}{\cancel{3}} \ \overset{10}{4} \\ - \ 1 \ 5 \\ \hline 9 \end{array}$$

10+4-5=9

② 십의 자리 계산

$$\begin{array}{r} \overset{2}{\cancel{3}} \ \overset{10}{4} \\ - \ 1 \ 5 \\ \hline 1 \ 9 \end{array}$$

3-1-1=1

십의 자리 계산할 때 꼭 받아내림하고 남은 수에서 빼야 해!

🐙 □ 안에 알맞은 수를 써넣으세요.

1

$$\begin{array}{r} \square \ \square \\ \cancel{4} \ 3 \\ - \ 2 \ 6 \\ \hline \end{array} \Rightarrow \begin{array}{r} \square \ \square \\ \cancel{4} \ 3 \\ - \ 2 \ 6 \\ \hline \square \ \square \end{array}$$

10+3-6=7   4-1-2=1

2

$$\begin{array}{r} \square \ \square \\ \cancel{5} \ 4 \\ - \ 3 \ 7 \\ \hline \end{array} \Rightarrow \begin{array}{r} \square \ \square \\ \cancel{5} \ 4 \\ - \ 3 \ 7 \\ \hline \square \ \square \end{array}$$

3

$$\begin{array}{r} \square \ \square \\ \cancel{6} \ 2 \\ - \ 2 \ 8 \\ \hline \end{array} \Rightarrow \begin{array}{r} \square \ \square \\ \cancel{6} \ 2 \\ - \ 2 \ 8 \\ \hline \square \ \square \end{array}$$

4

$$\begin{array}{r} \square \ \square \\ \cancel{7} \ 1 \\ - \ 5 \ 6 \\ \hline \end{array} \Rightarrow \begin{array}{r} \square \ \square \\ \cancel{7} \ 1 \\ - \ 5 \ 6 \\ \hline \square \ \square \end{array}$$

5

$$\begin{array}{r} \square \ \square \\ \cancel{8} \ 5 \\ - \ 3 \ 9 \\ \hline \end{array} \Rightarrow \begin{array}{r} \square \ \square \\ \cancel{8} \ 5 \\ - \ 3 \ 9 \\ \hline \square \ \square \end{array}$$

6

$$\begin{array}{r} \square \ \square \\ \cancel{9} \ 6 \\ - \ 4 \ 8 \\ \hline \end{array} \Rightarrow \begin{array}{r} \square \ \square \\ \cancel{9} \ 6 \\ - \ 4 \ 8 \\ \hline \square \ \square \end{array}$$

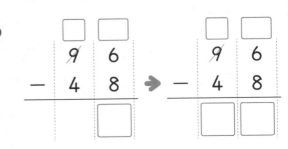

🐙 계산을 하세요.

7

```
    2 1
-   1 4
```

8

```
    3 3
-   1 7
```

9

```
    3 5
-   2 8
```

10

```
    4 2
-   1 6
```

11

```
    4 5
-   2 7
```

12

```
    5 3
-   2 5
```

13

```
    5 5
-   3 9
```

14

```
    6 2
-   2 4
```

15

```
    6 4
-   4 9
```

16

```
    7 1
-   2 4
```

17

```
    7 4
-   4 6
```

18

```
    8 3
-   5 5
```

19

```
    8 6
-   6 9
```

20

```
    9 3
-   3 7
```

21

```
    9 5
-   7 9
```

7. 받아내림이 있는 (두 자리 수)−(두 자리 수)

🐙 계산을 하세요.

1 24−16

2 32−14

3 36−29

4 44−15

5 41−23

6 53−28

7 57−39

8 62−18

9 65−37

10 67−59

11 71−24

12 73−45

13 77−58

14 82−36

15 86−47

16 91−16

17 94−45

18 96−79

🐙 빈 곳에 알맞은 수를 써넣으세요.

19 | 22 | −17 | |

20 | 32 | −16 | |

21 | 31 | −23 | |

22 | 45 | −38 | |

23 | 54 | −39 | |

24 | 63 | −26 | |

25 | 66 | −47 | |

26 | 71 | −33 | |

27 | 75 | −58 | |

28 | 83 | −45 | |

29 | 87 | −59 | |

30 | 94 | −65 | |

◎ 2단계 덧셈과 뺄셈

7. 받아내림이 있는 (두 자리 수)-(두 자리 수)

🐙 계산을 하세요.

1
```
   2 5
 - 1 6
```

2
```
   3 2
 - 1 4
```

3
```
   4 4
 - 2 6
```

4
```
   3 1
 - 1 9
```

5
```
   4 6
 - 2 7
```

6
```
   6 4
 - 3 9
```

7
```
   5 5
 - 3 8
```

8
```
   6 3
 - 2 6
```

9
```
   6 7
 - 4 9
```

10
```
   7 1
 - 2 5
```

11
```
   8 1
 - 4 7
```

12
```
   9 5
 - 5 8
```

13
```
   7 6
 - 5 8
```

14
```
   8 2
 - 5 4
```

15
```
   9 3
 - 7 7
```

🐙 빈 곳에 알맞은 수를 써넣으세요.

16

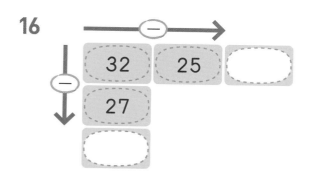

17

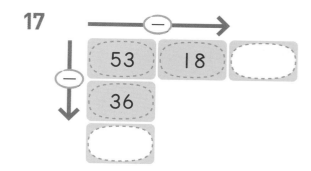

18

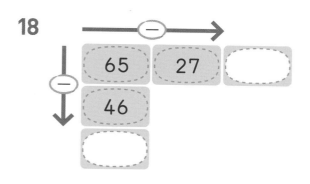

19

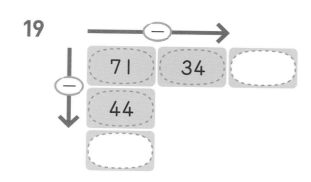

20

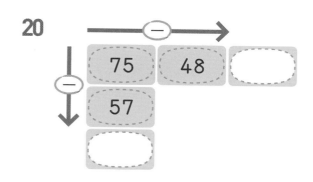

21

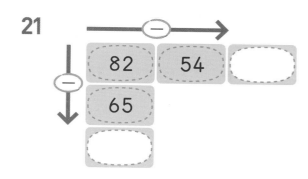

22

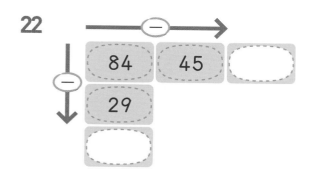

23

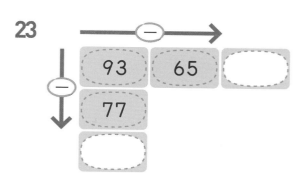

7. 받아내림이 있는 (두 자리 수)−(두 자리 수)

🐙 계산을 하세요.

1 25−19

2 31−15

3 34−26

4 42−23

5 44−27

6 53−16

7 55−38

8 56−47

9 61−23

10 64−46

11 66−57

12 72−43

13 74−55

14 78−19

15 81−25

16 83−36

17 86−58

18 92−34

🐙 ☐ 안에 알맞은 수를 써넣으세요.

19
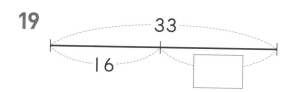

20
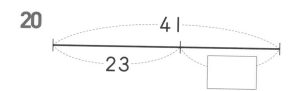

21
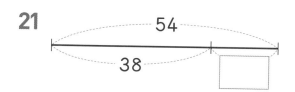

22
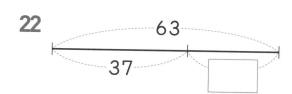

23
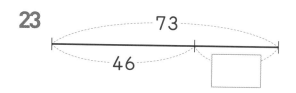

24
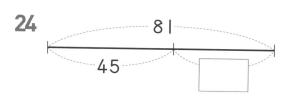

25
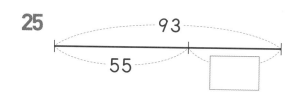

26
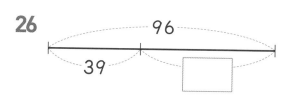

💡 생활 속 연산

아린이는 준서보다 훌라후프를 몇 번 더 많이 돌렸는지 구하세요.

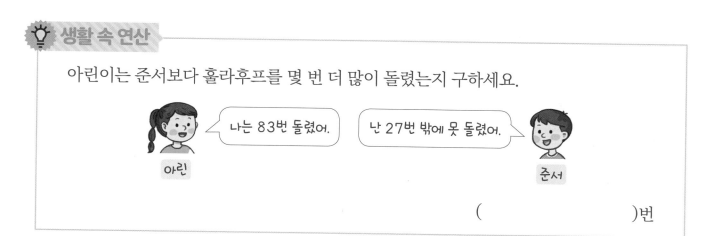

(　　　　　)번

8. 여러 가지 방법으로 뺄셈하기

예 $42-17$을 여러 가지 방법으로 계산하기

방법 1

$42-17=42-10-7$
$\quad\quad\quad=32-7$
$\quad\quad\quad=25$

방법 2

$42-17=40-17+2$
$\quad\quad\quad=23+2$
$\quad\quad\quad=25$

방법 3

$42-17=42-12-5$
$\quad\quad\quad=30-5$
$\quad\quad\quad=25$

방법 4

$42-17=42-20+3$
$\quad\quad\quad=22+3$
$\quad\quad\quad=25$

□ 안에 알맞은 수를 써넣으세요.

1 $53-27=53-\boxed{}-7$
$\quad\quad\quad=\boxed{}-7$
$\quad\quad\quad=\boxed{}$

2 $34-18=30-\boxed{}+4$
$\quad\quad\quad=\boxed{}+4$
$\quad\quad\quad=\boxed{}$

3 $61-36=61-\boxed{}-5$
$\quad\quad\quad=\boxed{}-5$
$\quad\quad\quad=\boxed{}$

4 $72-49=72-\boxed{}+1$
$\quad\quad\quad=\boxed{}+1$
$\quad\quad\quad=\boxed{}$

🐙 주어진 식을 여러 가지 방법으로 계산하려고 합니다. ☐ 안에 알맞은 수를 써넣으세요.

5

$$47-19$$

$$47-19=47-\boxed{}-9$$
$$=\boxed{}-9=\boxed{}$$

$$47-19=40-\boxed{}+7$$
$$=\boxed{}+7=\boxed{}$$

$$47-19=47-\boxed{}-2$$
$$=\boxed{}-2=\boxed{}$$

$$47-19=47-\boxed{}+1$$
$$=\boxed{}+1=\boxed{}$$

6

$$51-16$$

$$51-16=51-\boxed{}-6$$
$$=\boxed{}-6=\boxed{}$$

$$51-16=50-\boxed{}+1$$
$$=\boxed{}+1=\boxed{}$$

$$51-16=51-\boxed{}-5$$
$$=\boxed{}-5=\boxed{}$$

$$51-16=51-\boxed{}+4$$
$$=\boxed{}+4=\boxed{}$$

7

$$73-45$$

$$73-45=73-\boxed{}-5$$
$$=\boxed{}-5=\boxed{}$$

$$73-45=70-\boxed{}+3$$
$$=\boxed{}+3=\boxed{}$$

$$73-45=73-\boxed{}-2$$
$$=\boxed{}-2=\boxed{}$$

$$73-45=73-\boxed{}+5$$
$$=\boxed{}+5=\boxed{}$$

8. 여러 가지 방법으로 뺄셈하기

🐙 ☐ 안에 알맞은 수를 써넣으세요.

1 $66-38=66-\boxed{}-8$

$=\boxed{}-8=\boxed{}$

➜ 66에서 30을 먼저 뺀 후 8을 빼.

2 $32-18=30-\boxed{}+2$

$=\boxed{}+2=\boxed{}$

➜ 32를 30+2로 생각하고 계산해.

3 $93-65=93-\boxed{}-5$

$=\boxed{}-5=\boxed{}$

4 $45-26=40-\boxed{}+5$

$=\boxed{}+5=\boxed{}$

5 $46-28=46-\boxed{}-8$

$=\boxed{}-8=\boxed{}$

6 $83-57=80-\boxed{}+3$

$=\boxed{}+3=\boxed{}$

7 $64-37=64-\boxed{}-3$

$=\boxed{}-3=\boxed{}$

➜ 64에서 34를 먼저 뺀 후 3을 빼.

8 $53-18=53-\boxed{}+2$

$=\boxed{}+2=\boxed{}$

➜ 53에서 20을 먼저 뺀 후 2를 더해.

9 $72-46=72-\boxed{}-4$

$=\boxed{}-4=\boxed{}$

10 $54-29=54-\boxed{}+1$

$=\boxed{}+1=\boxed{}$

11 $65-36=65-\boxed{}-1$

$=\boxed{}-1=\boxed{}$

12 $74-47=74-\boxed{}+3$

$=\boxed{}+3=\boxed{}$

🐙 주어진 방법으로 계산하세요.

13

65에서 30을 먼저 뺀 후 7을 더 빼기

$$65-37 = 65-30-7$$
$$= 35-7$$
$$= 28$$

14

82에서 30을 먼저 뺀 후 4를 더 빼기

$$82-34$$

15

44를 40+4로 생각하여 계산하기

$$44-16$$

16

73을 70+3으로 생각하여 계산하기

$$73-27$$

17

32에서 12를 먼저 뺀 후 2를 더 빼기

$$32-14$$

18

96에서 76을 먼저 뺀 후 2를 더 빼기

$$96-78$$

19

57에서 20을 뺀 후 1을 더하기

$$57-19$$

20

81에서 60을 뺀 후 4를 더하기

$$81-56$$

◎ 2단계 덧셈과 뺄셈

8. 여러 가지 방법으로 뺄셈하기

 보기 와 같은 방법으로 계산하세요.

보기

$$45-18=45-10-8$$
$$=35-8$$
$$=27$$

1 $53-37$

2 $75-29$

3 $92-56$

보기

$$45-18=40-18+5$$
$$=22+5$$
$$=27$$

4 $34-18$

5 $54-26$

6 $76-39$

보기

$$45-18=45-15-3$$
$$=30-3$$
$$=27$$

7 $43-25$

8 $64-39$

9 $85-58$

🐙 여러 가지 방법으로 계산하세요.

10 64−26

> 방법 1

> 방법 2

11 52−37

> 방법 1

> 방법 2

12 7l−45

> 방법 1

> 방법 2

13 93−66

> 방법 1

> 방법 2

💡 생활 속 연산

붙임딱지를 현수는 45장, 지효는 28장 모았습니다. 현수는 지효보다 붙임딱지를 몇 장 더 많이 모았는지 구하세요.

(   )장

◎ 2단계 덧셈과 뺄셈

마무리 연산

🐙 계산을 하세요.

1
```
   4 6
 +   8
```

2
```
   5 7
 +   5
```

3
```
   7 7
 +   9
```

4
```
   2 5
 + 1 7
```

5
```
   3 8
 + 2 9
```

6
```
   6 3
 + 1 7
```

7
```
   4 2
 + 7 3
```

8
```
   5 4
 + 6 1
```

9
```
   7 3
 + 5 6
```

10
```
   4 7
 + 8 5
```

11
```
   5 2
 + 7 9
```

12
```
   6 6
 + 8 4
```

13
```
   7 8
 + 4 5
```

14
```
   8 7
 + 5 7
```

15
```
   9 3
 + 4 9
```

🐙 계산을 하세요.

16 $24+9$

17 $47+6$

18 $67+8$

19 $17+34$

20 $24+58$

21 $33+38$

22 $46+39$

23 $53+19$

24 $69+17$

25 $32+75$

26 $52+55$

27 $63+72$

28 $74+53$

29 $82+46$

30 $94+65$

31 $74+58$

32 $85+46$

33 $97+65$

34 $56+67$

35 $68+72$

36 $74+49$

◎ 2단계 덧셈과 뺄셈

마무리 연산

🐙 계산을 하세요.

| 1 | 3 4
 −   7 | 2 | 4 3
 −   8 | 3 | 6 2
 −   9 |

| 4 | 4 0
 − 1 5 | 5 | 5 0
 − 3 9 | 6 | 6 0
 − 3 4 |

| 7 | 7 0
 − 2 6 | 8 | 8 0
 − 5 7 | 9 | 9 0
 − 6 6 |

| 10 | 5 1
 − 2 4 | 11 | 6 4
 − 3 6 | 12 | 7 2
 − 1 4 |

| 13 | 8 5
 − 4 9 | 14 | 9 3
 − 5 9 | 15 | 9 5
 − 7 8 |

🐙 계산을 하세요.

16　17−8

17　35−9

18　42−4

19　53−7

20　62−3

21　75−8

22　30−12

23　40−23

24　50−26

25　60−41

26　70−37

27　80−54

28　35−26

29　43−19

30　55−37

31　63−26

32　71−44

33　75−59

34　83−35

35　92−26

36　95−76

3

덧셈과 뺄셈의 관계

문제를 잘 읽고 요구하는
답이 무엇인지 꼼꼼히
살펴보자!

학습 결과와 시간을 써 보세요!

학습 내용	학습 회차	맞힌 개수/걸린 시간
1. 덧셈과 뺄셈의 관계	DAY 01	/
	DAY 02	/
	DAY 03	/
2. 덧셈식에서 □의 값 구하기	DAY 04	/
	DAY 05	/
	DAY 06	/
3. 뺄셈식에서 □의 값 구하기	DAY 07	/
	DAY 08	/
	DAY 09	/
마무리 연산	DAY 10	/

기초력 상승!

하나 둘!
하나 둘!

◎ 3단계 덧셈과 뺄셈의 관계

1. 덧셈과 뺄셈의 관계

예 23+18=41을 뺄셈식으로 나타내기

$$23+18=41$$
$$41-23=18$$
$$41-18=23$$

덧셈식을 뺄셈식으로 나타내면 합이 항상 맨 앞으로 감

🐙 덧셈식을 뺄셈식으로 나타내세요.

1
$15+9=24$
$24-\boxed{}=9$
$24-\boxed{}=15$

2
$14+7=21$
$21-\boxed{}=7$
$21-\boxed{}=14$

3
$6+28=34$
$34-6=\boxed{}$
$34-28=\boxed{}$

4
$8+25=33$
$33-8=\boxed{}$
$33-25=\boxed{}$

5
$17+6=23$
$23-\boxed{}=6$
$23-\boxed{}=17$

6
$28+4=32$
$32-\boxed{}=4$
$32-\boxed{}=28$

7
$9+34=43$
$43-9=\boxed{}$
$43-34=\boxed{}$

8
$5+39=44$
$44-5=\boxed{}$
$44-39=\boxed{}$

🐙 덧셈식을 뺄셈식으로 나타내세요.

9
$27+19=46$
① _____
② _____

10
$19+43=62$
① _____
② _____

11
$67+17=84$
① _____
② _____

12
$48+29=77$
① _____
② _____

13
$55+19=74$
① _____
② _____

14
$28+64=92$
① _____
② _____

15
$64+31=95$
① _____
② _____

◎ 3단계 덧셈과 뺄셈의 관계

1. 덧셈과 뺄셈의 관계

예 $45-26=19$ 를 덧셈식으로 나타내기

$$45-26=19 \begin{cases} 19+26=45 \\ 26+19=45 \end{cases}$$

뺄셈식을 덧셈식으로 나타내면 빼지는 수가 맨 뒤로 가!

🐙 뺄셈식을 덧셈식으로 나타내세요.

1
$$22-8=14 \begin{cases} 14+\boxed{}=22 \\ 8+\boxed{}=22 \end{cases}$$

2
$$15-6=9 \begin{cases} 9+\boxed{}=15 \\ 6+\boxed{}=15 \end{cases}$$

3
$$23-5=18 \begin{cases} \boxed{}+5=23 \\ \boxed{}+18=23 \end{cases}$$

4
$$34-7=27 \begin{cases} \boxed{}+7=34 \\ \boxed{}+27=34 \end{cases}$$

5
$$31-5=26 \begin{cases} 26+\boxed{}=31 \\ 5+\boxed{}=31 \end{cases}$$

6
$$26-8=18 \begin{cases} 18+\boxed{}=26 \\ 8+\boxed{}=26 \end{cases}$$

7
$$34-9=25 \begin{cases} \boxed{}+9=34 \\ \boxed{}+25=34 \end{cases}$$

8
$$22-7=15 \begin{cases} \boxed{}+7=22 \\ \boxed{}+15=22 \end{cases}$$

🐙 뺄셈식을 덧셈식으로 나타내세요.

9

$46-28=18$ ①_____

②_____

10

$51-37=14$ ①_____

②_____

11

$65-29=36$ ①_____

②_____

12

$73-45=28$ ①_____

②_____

13

$81-27=54$ ①_____

②_____

14

$84-67=17$ ①_____

②_____

15

$95-56=39$ ①_____

②_____

1. 덧셈과 뺄셈의 관계

🐙 세 수를 한 번씩 모두 이용하여 덧셈식을 만들고, 뺄셈식을 2개로 나타내세요.

1 | 26 | 15 | 41 |

덧셈식 26+15=□

뺄셈식 _____ , _____

2 | 39 | 22 | 61 |

덧셈식 39+22=□

뺄셈식 _____ , _____

3 | 42 | 38 | 80 |

덧셈식 42+□=□

뺄셈식 _____ , _____

4 | 16 | 58 | 74 |

덧셈식 16+□=□

뺄셈식 _____ , _____

5 | 37 | 28 | 65 |

덧셈식 □+28=65

뺄셈식 _____ , _____

6 | 54 | 38 | 92 |

덧셈식 □+38=92

뺄셈식 _____ , _____

7 | 85 | 68 | 17 |

덧셈식 □+68=□

뺄셈식 _____ , _____

8 | 83 | 35 | 48 |

덧셈식 □+35=□

뺄셈식 _____ , _____

🐙 세 수를 한 번씩 모두 이용하여 뺄셈식을 만들고, 덧셈식을 2개로 나타내세요.

9  17　85　68

뺄셈식　85－17=☐

덧셈식 _____ , _____

10  56　29　27

뺄셈식　56－27=☐

덧셈식 _____ , _____

11  27　70　43

뺄셈식　☐－43=☐

덧셈식 _____ , _____

12  51　18　33

뺄셈식　☐－18=☐

덧셈식 _____ , _____

13  48　82　34

뺄셈식　☐－☐=34

덧셈식 _____ , _____

14 56　18　74

뺄셈식　☐－☐=18

덧셈식 _____ , _____

💡 **생활 속 연산**

민재네 반 여학생이 몇 명인지 뺄셈식으로 나타낸 다음, 이 뺄셈식을 보고 민재네 반 학생이 모두 몇 명인지 덧셈식으로 나타내세요.

우리반 학생은 모두 28명인데 이 중 남학생이 17명이야.

뺄셈식　28－17=☐ ➡ 덧셈식　☐＋17=☐

2. 덧셈식에서 □의 값 구하기

예 $12 + \square = 31$ 에서 □의 값 구하기

$12 + \square = 31$

$31 - 12 = \square$ ➜ $\square = 19$

덧셈식을 뺄셈식으로 나타내어 □를 구해!
★$+\square=$● ➜ ●$-$★$=\square$

🐙 ■의 값을 구하려고 합니다. □ 안에 알맞은 수를 써넣으세요.

1 $32 + \blacksquare = 61$

$61 - \boxed{} = \blacksquare$ ➜ $\blacksquare = \boxed{}$

2 $26 + \blacksquare = 54$

$54 - \boxed{} = \blacksquare$ ➜ $\blacksquare = \boxed{}$

3 $47 + \blacksquare = 72$

$72 - \boxed{} = \blacksquare$ ➜ $\blacksquare = \boxed{}$

4 $36 + \blacksquare = 53$

$53 - \boxed{} = \blacksquare$ ➜ $\blacksquare = \boxed{}$

5 $16 + \blacksquare = 65$

$65 - \boxed{} = \blacksquare$ ➜ $\blacksquare = \boxed{}$

6 $53 + \blacksquare = 81$

$81 - \boxed{} = \blacksquare$ ➜ $\blacksquare = \boxed{}$

7 $49 + \blacksquare = 91$

$91 - \boxed{} = \blacksquare$ ➜ $\blacksquare = \boxed{}$

8 $34 + \blacksquare = 73$

$73 - \boxed{} = \blacksquare$ ➜ $\blacksquare = \boxed{}$

🐙 ☐ 안에 알맞은 수를 써넣으세요.

9 $13+\boxed{}=32$

10 $17+\boxed{}=60$

11 $23+\boxed{}=72$

12 $25+\boxed{}=43$

13 $34+\boxed{}=62$

14 $38+\boxed{}=57$

15 $42+\boxed{}=60$

16 $44+\boxed{}=71$

17 $54+\boxed{}=83$

18 $57+\boxed{}=74$

19 $63+\boxed{}=92$

20 $65+\boxed{}=81$

21 $52+\boxed{}=80$

22 $75+\boxed{}=93$

2. 덧셈식에서 □의 값 구하기

예 $\square + 14 = 42$에서 □의 값 구하기

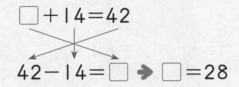

$$42 - 14 = \square \rightarrow \square = 28$$

덧셈식을 뺄셈식으로 나타내어 □를 구해봐
$$\square + \bigstar = \bullet \rightarrow \bullet - \bigstar = \square$$

🐙 ■의 값을 구하려고 합니다. □ 안에 알맞은 수를 써넣으세요.

1 $\blacksquare + 28 = 54$

$$54 - \boxed{} = \blacksquare \rightarrow \blacksquare = \boxed{}$$

2 $\blacksquare + 15 = 32$

$$32 - \boxed{} = \blacksquare \rightarrow \blacksquare = \boxed{}$$

3 $\blacksquare + 31 = 60$

$$60 - \boxed{} = \blacksquare \rightarrow \blacksquare = \boxed{}$$

4 $\blacksquare + 36 = 82$

$$82 - \boxed{} = \blacksquare \rightarrow \blacksquare = \boxed{}$$

5 $\blacksquare + 45 = 62$

$$62 - \boxed{} = \blacksquare \rightarrow \blacksquare = \boxed{}$$

6 $\blacksquare + 47 = 83$

$$83 - \boxed{} = \blacksquare \rightarrow \blacksquare = \boxed{}$$

7 $\blacksquare + 56 = 83$

$$83 - \boxed{} = \blacksquare \rightarrow \blacksquare = \boxed{}$$

8 $\blacksquare + 58 = 92$

$$92 - \boxed{} = \blacksquare \rightarrow \blacksquare = \boxed{}$$

🐙 ☐ 안에 알맞은 수를 써넣으세요.

9 $\boxed{}+28=47$

10 $\boxed{}+37=51$

11 $\boxed{}+49=74$

12 $\boxed{}+28=55$

13 $\boxed{}+47=80$

14 $\boxed{}+14=52$

15 $\boxed{}+19=61$

16 $\boxed{}+45=91$

17 $\boxed{}+29=83$

18 $\boxed{}+37=94$

19 $\boxed{}+18=81$

20 $\boxed{}+22=87$

21 $\boxed{}+28=82$

22 $\boxed{}+14=91$

2. 덧셈식에서 □의 값 구하기

🐙 □ 안에 알맞은 수를 써넣으세요.

1 $16+\boxed{}=53$

2 $\boxed{}+9=36$

3 $35+\boxed{}=64$

4 $\boxed{}+28=46$

5 $44+\boxed{}=83$

6 $\boxed{}+37=62$

7 $29+\boxed{}=77$

8 $\boxed{}+24=71$

9 $57+\boxed{}=95$

10 $\boxed{}+47=83$

11 $48+\boxed{}=60$

12 $\boxed{}+38=73$

13 $29+\boxed{}=46$

14 $\boxed{}+28=94$

🐙 빈칸에 알맞은 수를 써넣으세요.

15 | 45 | + | | = | 62 |

16 | | + | 36 | = | 64 |

17 | 56 | + | | = | 94 |

18 | | + | 29 | = | 91 |

19 | 35 | + | | = | 63 |

20 | | + | 17 | = | 64 |

21 | 14 | + | | = | 82 |

22 | | + | 59 | = | 92 |

23 | 34 | + | | = | 82 |

24 | | + | 65 | = | 93 |

25 | 54 | + | | = | 83 |

26 | | + | 17 | = | 90 |

💡 생활 속 연산

현서가 칭찬 붙임딱지를 50장 모으면 엄마께서 동화책 한 권을 사 주신다고 하였습니다. 지금까지 현서가 모은 칭찬 붙임딱지가 27장이라면 몇 장을 더 모아야 하는지 구하세요.

내가 동화책을 받으려면 칭찬 붙임딱지를 얼마나 더 모아야 할까?

(   )장

◎ 3단계 덧셈과 뺄셈의 관계

3. 뺄셈식에서 ☐의 값 구하기

예 31 − ☐ = 16에서 ☐의 값 구하기

31 − ☐ = 16

31 − 16 = ☐ ➡ ☐ = 15

뺄셈식을 다른 뺄셈식으로
나타내어 ☐를 구해!
★ − ☐ = ● ➡ ★ − ● = ☐

🐙 ■의 값을 구하려고 합니다. ☐ 안에 알맞은 수를 써넣으세요.

1 29 − ■ = 17

29 − ☐ = ■ ➡ ■ = ☐

2 34 − ■ = 15

34 − ☐ = ■ ➡ ■ = ☐

3 42 − ■ = 25

42 − ☐ = ■ ➡ ■ = ☐

4 51 − ■ = 22

51 − ☐ = ■ ➡ ■ = ☐

5 57 − ■ = 19

57 − ☐ = ■ ➡ ■ = ☐

6 63 − ■ = 35

63 − ☐ = ■ ➡ ■ = ☐

7 66 − ■ = 48

66 − ☐ = ■ ➡ ■ = ☐

8 73 − ■ = 45

73 − ☐ = ■ ➡ ■ = ☐

🐙 ☐ 안에 알맞은 수를 써넣으세요.

9 $29 - \boxed{} = 11$

10 $32 - \boxed{} = 17$

11 $41 - \boxed{} = 26$

12 $44 - \boxed{} = 19$

13 $52 - \boxed{} = 16$

14 $53 - \boxed{} = 38$

15 $62 - \boxed{} = 38$

16 $65 - \boxed{} = 29$

17 $71 - \boxed{} = 39$

18 $73 - \boxed{} = 27$

19 $83 - \boxed{} = 39$

20 $84 - \boxed{} = 26$

21 $91 - \boxed{} = 56$

22 $94 - \boxed{} = 46$

◎ 3단계 덧셈과 뺄셈의 관계

3. 뺄셈식에서 □의 값 구하기

예 □－13＝28에서 □의 값 구하기

□－13＝28

28＋13＝□ ➡ □＝41

뺄셈식을 덧셈식으로 나타내어 □를 구해봐
□－★＝● ➡ ●＋★＝□

■의 값을 구하려고 합니다. □ 안에 알맞은 수를 써넣으세요.

1 ■ － 18 ＝ 14

14＋□＝■ ➡ ■＝□

2 ■ － 25 ＝ 37

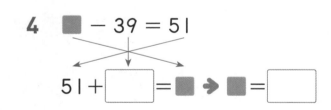

37＋□＝■ ➡ ■＝□

3 ■ － 28 ＝ 44

44＋□＝■ ➡ ■＝□

4 ■ － 39 ＝ 51

51＋□＝■ ➡ ■＝□

5 ■ － 36 ＝ 27

27＋□＝■ ➡ ■＝□

6 ■ － 48 ＝ 17

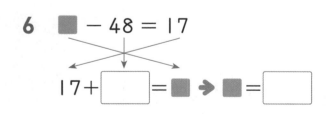

17＋□＝■ ➡ ■＝□

7 ■ － 56 ＝ 24

24＋□＝■ ➡ ■＝□

8 ■ － 45 ＝ 37

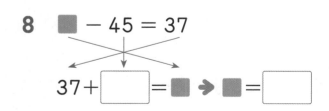

37＋□＝■ ➡ ■＝□

🐙 □ 안에 알맞은 수를 써넣으세요.

9 $\boxed{} - 19 = 15$

10 $\boxed{} - 17 = 14$

11 $\boxed{} - 24 = 18$

12 $\boxed{} - 16 = 29$

13 $\boxed{} - 15 = 37$

14 $\boxed{} - 28 = 27$

15 $\boxed{} - 49 = 12$

16 $\boxed{} - 35 = 29$

17 $\boxed{} - 55 = 18$

18 $\boxed{} - 34 = 41$

19 $\boxed{} - 28 = 53$

20 $\boxed{} - 46 = 38$

21 $\boxed{} - 42 = 48$

22 $\boxed{} - 66 = 26$

◎3단계 덧셈과 뺄셈의 관계

3. 뺄셈식에서 □의 값 구하기

🐙 □ 안에 알맞은 수를 써넣으세요.

1 $32 - \boxed{} = 15$

2 $\boxed{} - 11 = 16$

3 $45 - \boxed{} = 26$

4 $\boxed{} - 28 = 20$

5 $54 - \boxed{} = 25$

6 $\boxed{} - 37 = 27$

7 $44 - \boxed{} = 16$

8 $\boxed{} - 24 = 53$

9 $57 - \boxed{} = 19$

10 $\boxed{} - 28 = 38$

11 $88 - \boxed{} = 45$

12 $\boxed{} - 38 = 40$

13 $99 - \boxed{} = 52$

14 $\boxed{} - 47 = 36$

🐙 ☐ 안에 알맞은 수를 써넣으세요.

15 $53 - \boxed{} = 28$

16 $\boxed{} - 15 = 27$

17 $46 - \boxed{} = 29$

18 $\boxed{} - 27 = 23$

19 $74 - \boxed{} = 39$

20 $\boxed{} - 44 = 18$

21 $83 - \boxed{} = 26$

22 $\boxed{} - 48 = 23$

23 $90 - \boxed{} = 36$

24 $\boxed{} - 35 = 52$

💡 **생활 속 연산**

찬우 아버지께서 고속버스 좌석을 예약하려고 합니다. 45개의 좌석 중 예약할 수 있는 좌석이 17개라면 이미 예약된 좌석은 몇 개인지 구하세요.

(   )개

◎3단계 덧셈과 뺄셈의 관계

마무리 연산

🐙 덧셈식을 뺄셈식으로, 뺄셈식을 덧셈식으로 나타내세요.

1 14+29=43

43−☐=☐
43−☐=☐

2 36+25=61

☐−36=☐
☐−25=☐

3 57+28=85

☐−☐=28
☐−☐=☐

4 34+58=92

☐−☐=58
☐−☐=☐

5 54−36=18

18+☐=☐
36+☐=☐

6 53−27=26

☐+27=☐
☐+26=☐

7 73−45=28

☐+45=☐
☐+☐=☐

8 91−66=25

25+☐=☐
☐+☐=☐

🐙 ☐ 안에 알맞은 수를 써넣으세요.

9 $17+\boxed{}=62$

10 $\boxed{}+28=52$

11 $34+\boxed{}=62$

12 $\boxed{}+19=51$

13 $45+\boxed{}=93$

14 $\boxed{}+28=81$

15 $17+\boxed{}=85$

16 $\boxed{}+48=75$

17 $55-\boxed{}=38$

18 $\boxed{}-27=67$

19 $74-\boxed{}=37$

20 $\boxed{}-27=38$

21 $42-\boxed{}=25$

22 $\boxed{}-36=49$

23 $62-\boxed{}=14$

24 $\boxed{}-29=69$

4

세 수의 덧셈과 뺄셈

계산 실수를 하지 않게
집중해서 풀어 보자!

학습 결과와 시간을 써 보세요!

학습 내용	학습 회차	맞힌 개수/걸린 시간
1. 세 수의 덧셈	DAY 01	/
	DAY 02	/
	DAY 03	/
	DAY 04	/
2. 세 수의 뺄셈	DAY 05	/
	DAY 06	/
	DAY 07	/
	DAY 08	/
3. 세 수의 덧셈과 뺄셈	DAY 09	/
	DAY 10	/
	DAY 11	/
	DAY 12	/
마무리 연산	DAY 13	/

◎ 4단계 세 수의 덧셈과 뺄셈

1. 세 수의 덧셈

예 25+18+7의 계산

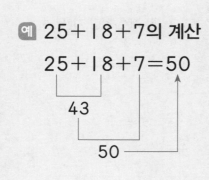

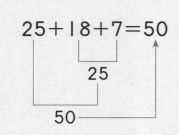

세 수의 덧셈은 계산 순서에 상관없이 결과가 같아.

🐙 ☐ 안에 알맞은 수를 써넣으세요.

1 17+28+6=☐

2 24+8+19=☐

3 37+4+23=☐

4 9+36+27=☐

5 55+17+8=☐

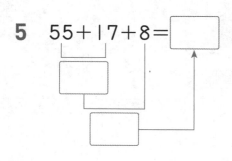

6 23+5+46=☐

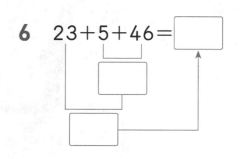

🐙 ☐ 안에 알맞은 수를 써넣으세요.

7　33＋19＋28＝☐
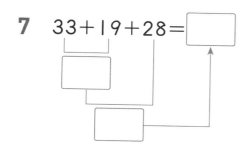

8　36＋29＋27＝☐
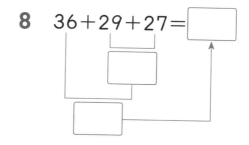

9　18＋24＋49＝☐
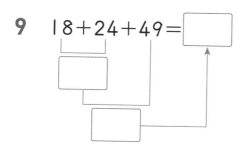

10　27＋15＋39＝☐
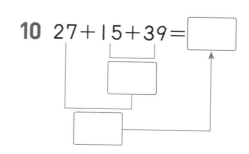

11　14＋57＋29＝☐
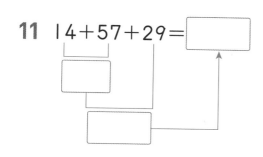

12　42＋34＋28＝☐
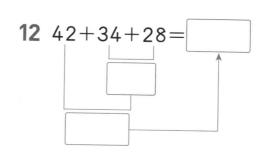

13　55＋18＋43＝☐
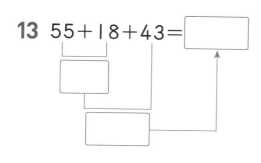

14　76＋23＋25＝☐

15　38＋54＋23＝☐
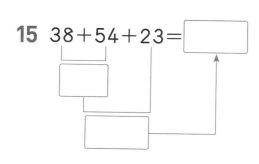

16　89＋27＋13＝☐

◎ 4단계 세 수의 덧셈과 뺄셈

1. 세 수의 덧셈

🐙 계산을 하세요.

1 15+17+19

2 7+24+39

3 42+9+28

4 36+18+7

5 67+15+8

6 13+26+43

7 26+19+51

8 49+19+14

9 47+38+18

10 29+37+43

11 56+35+22

12 47+35+57

13 58+27+33

14 73+19+54

🐙 빈 곳에 알맞은 수를 써넣으세요.

15
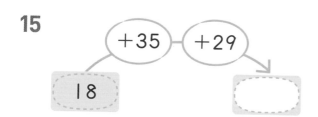

16
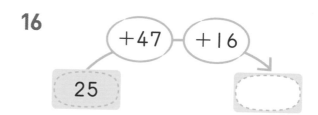

17
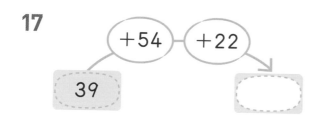

18
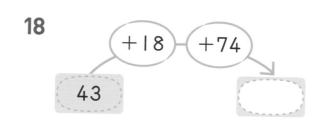

19
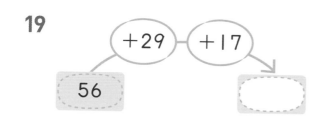

20
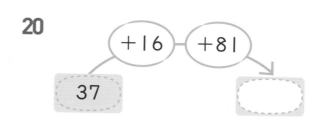

21
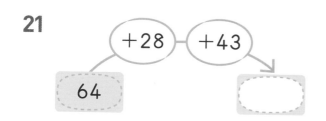

22
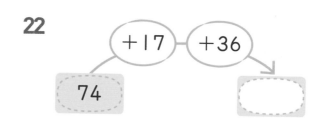

23
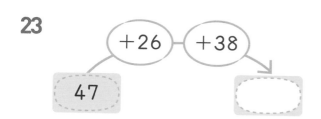

24
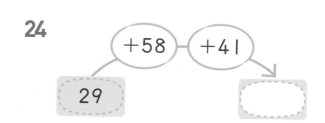

🎯 4단계 세 수의 덧셈과 뺄셈

1. 세 수의 덧셈

🐙 계산을 하세요.

1 24+16+38

2 35+17+43

3 16+45+29

4 48+15+42

5 23+59+17

6 37+28+16

7 18+36+55

8 56+13+28

9 68+34+17

10 49+17+72

11 74+16+36

12 58+24+12

13 39+45+21

14 63+29+33

🐙 빈 곳에 세 수의 합을 써넣으세요.

15
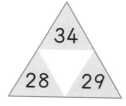

16
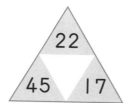

17
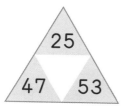

18
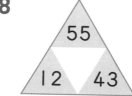

19
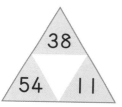

20
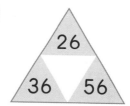

21
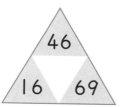

22
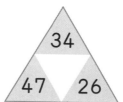

23
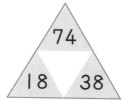

24
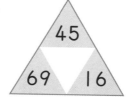

◎ 4단계 세 수의 덧셈과 뺄셈

1. 세 수의 덧셈

🐙 계산을 하세요.

1 18+15+48

2 27+35+22

3 36+26+27

4 44+19+33

5 15+37+39

6 38+24+42

7 36+28+29

8 45+39+31

9 77+14+23

10 69+22+34

11 37+24+49

12 48+37+26

13 54+28+44

14 66+26+42

🐙 빈 곳에 알맞은 수를 써넣으세요.

15 | 17 | +26 | +39 | |

16 | 25 | +18 | +47 | |

17 | 38 | +19 | +37 | |

18 | 21 | +16 | +43 | |

19 | 69 | +11 | +41 | |

20 | 33 | +58 | +23 | |

21 | 29 | +35 | +46 | |

22 | 55 | +18 | +53 | |

23 | 39 | +27 | +59 | |

24 | 77 | +18 | +39 | |

💡 생활 속 연산

연재가 3개월 동안 도서관에 간 날수를 나타낸 표입니다. 3개월 동안 도서관에 간 날은 모두 며칠인지 구하세요.

월	4월	5월	6월
날수	15일	26일	9일

(   )일

◎ 4단계 세 수의 덧셈과 뺄셈

2. 세 수의 뺄셈

예 76−29−18의 계산

$$76-29-18=29$$

47

29

세 수의 뺄셈은 뒤에서부터 계산하면 결과가 달라져!
$$76-29-18=76-11=65(×)$$
①
②

🐙 ☐ 안에 알맞은 수를 써넣으세요.

1 31−9−18=☐

2 32−17−6=☐

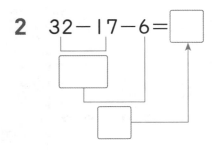

3 54−28−17=☐

4 42−15−19=☐

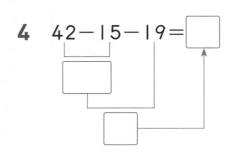

5 65−29−24=☐

6 61−27−15=☐

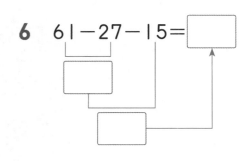

🐙 ☐ 안에 알맞은 수를 써넣으세요.

7　40−15−18=☐

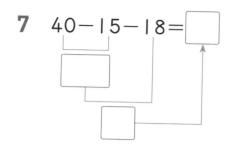

8　43−16−19=☐

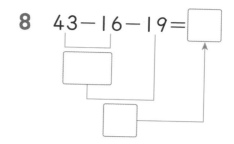

9　52−27−16=☐

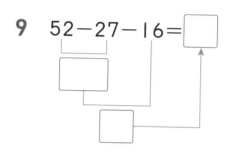

10　53−19−28=☐

11　63−28−17=☐

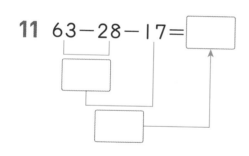

12　70−33−12=☐

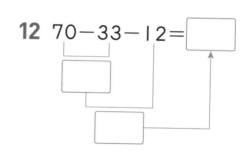

13　75−29−13=☐

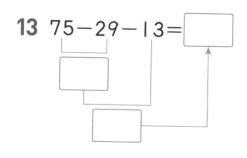

14　82−35−18=☐

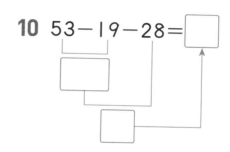

15　85−37−29=☐

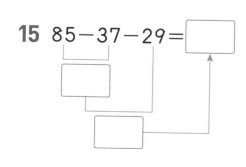

16　93−58−16=☐

◎ 4단계 세 수의 덧셈과 뺄셈

2. 세 수의 뺄셈

🐙 계산을 하세요.

1 36-5-18

2 45-17-9

3 33-17-8

4 55-27-7

5 42-28-11

6 53-25-14

7 62-25-18

8 66-12-19

9 70-13-32

10 73-29-11

11 76-37-13

12 81-24-39

13 84-36-17

14 93-49-26

🐙 빈 곳에 알맞은 수를 써넣으세요.

15 30 → −11 → −6 →

16 34 → −16 → −9 →

17 41 → −18 → −15 →

18 43 → −12 → −17 →

19 53 → −28 → −19 →

20 62 → −14 → −25 →

21 73 → −13 → −38 →

22 75 → −37 → −11 →

23 86 → −49 → −18 →

24 81 → −26 → −30 →

25 92 → −36 → −39 →

26 95 → −28 → −49 →

2. 세 수의 뺄셈

🐙 계산을 하세요.

1 42−15−11

2 49−17−13

3 31−10−14

4 54−28−16

5 56−24−18

6 62−32−15

7 66−16−31

8 70−35−22

9 72−44−17

10 75−19−34

11 81−26−38

12 84−48−23

13 85−48−27

14 96−59−18

🐙 빈 곳에 알맞은 수를 써넣으세요.

15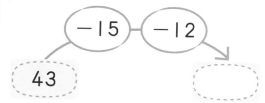

16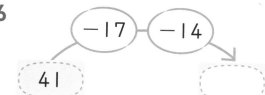

17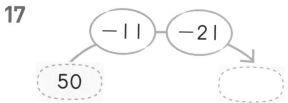

18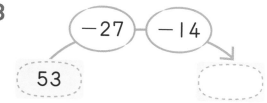

19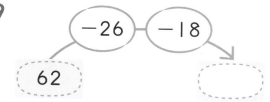

20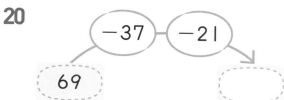

21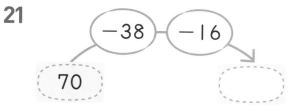

22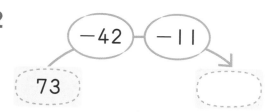

23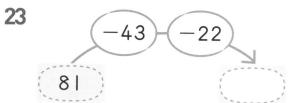

24

2. 세 수의 뺄셈

🐙 계산을 하세요.

1 $48-12-16$

2 $40-15-12$

3 $44-13-17$

4 $52-27-11$

5 $57-29-12$

6 $63-35-19$

7 $64-25-14$

8 $70-39-25$

9 $75-19-38$

10 $76-13-42$

11 $81-18-47$

12 $84-36-29$

13 $93-46-21$

14 $94-47-14$

🐙 빈 곳에 알맞은 수를 써넣으세요.

15 39 − 14 − 11 =

16 41 − 15 − 13 =

17 53 − 10 − 17 =

18 64 − 19 − 28 =

19 71 − 27 − 24 =

20 75 − 29 − 17 =

21 80 − 24 − 38 =

22 82 − 19 − 49 =

23 93 − 28 − 47 =

24 95 − 38 − 29 =

💡 생활 속 연산

정현이는 전체 96쪽인 동화책을 읽으려고 합니다. 첫째 날에는 27쪽, 둘째 날에는 29쪽을 읽고 셋째 날에는 나머지를 모두 읽으려고 합니다. 셋째 날에 몇 쪽을 읽으면 되는지 구하세요.

(   )쪽

3. 세 수의 덧셈과 뺄셈

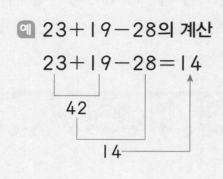

예 23+19−28의 계산

23+19−28=14

42

14

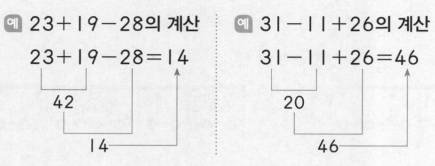

예 31−11+26의 계산

31−11+26=46

20

46

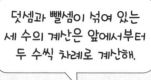

덧셈과 뺄셈이 섞여 있는 세 수의 계산은 앞에서부터 두 수씩 차례로 계산해.

🐙 ☐ 안에 알맞은 수를 써넣으세요.

1 15+38−35=☐

2 34−17+19=☐

3 46+27−37=☐

4 42−18+13=☐

5 42+18−46=☐

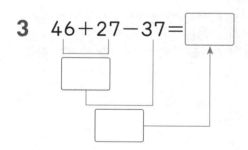

6 55−12+19=☐

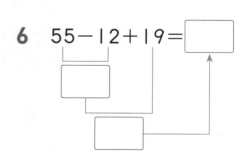

🐙 ☐ 안에 알맞은 수를 써넣으세요.

7 $27+15-23=$ ☐

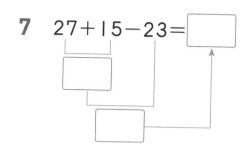

8 $42-26+17=$ ☐

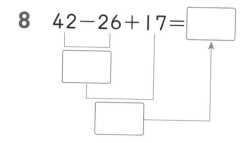

9 $21+25-16=$ ☐

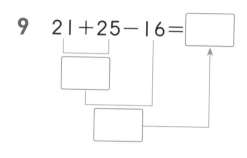

10 $56-38+33=$ ☐

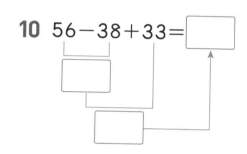

11 $38+15-37=$ ☐

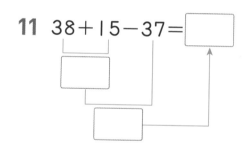

12 $64-36+19=$ ☐

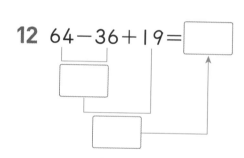

13 $43+24-29=$ ☐

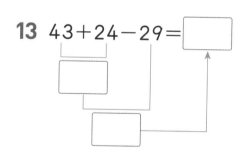

14 $83-45+34=$ ☐

15 $64+32-44=$ ☐

16 $92-67+36=$ ☐

◎ 4단계 세 수의 덧셈과 뺄셈

3. 세 수의 덧셈과 뺄셈

🐙 계산을 하세요.

1 42+39−25

2 32−16+24

3 52+19−33

4 44−18+15

5 61+29−48

6 53−27+39

7 66+16−29

8 63−35+45

9 73+18−41

10 72−37+27

11 45+47−77

12 75−44+36

13 55+38−66

14 84−39+29

🐙 빈 곳에 알맞은 수를 써넣으세요.

15
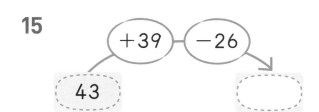

16
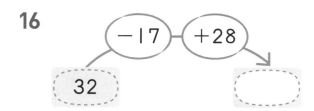

17
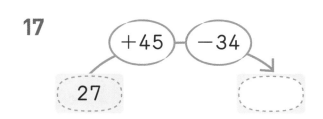

18
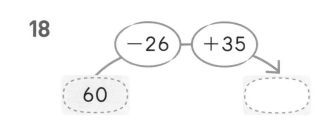

19
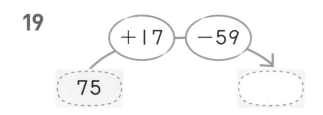

20
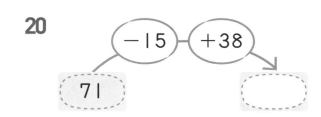

21
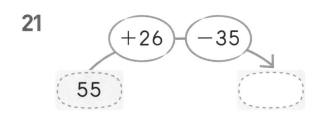

22
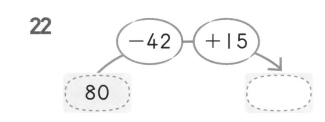

23
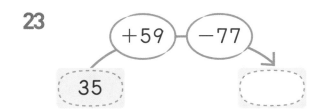

24
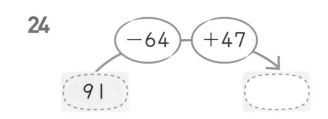

◎ 4단계 세 수의 덧셈과 뺄셈

3. 세 수의 덧셈과 뺄셈

🐙 계산을 하세요.

1 $24+27-19$

2 $33-15+38$

3 $35+28-16$

4 $46-29+16$

5 $53+31-39$

6 $55-38+43$

7 $62+29-33$

8 $65-48+35$

9 $80+12-14$

10 $74-59+39$

11 $72+16-45$

12 $84-65+32$

13 $55+28-37$

14 $90-76+58$

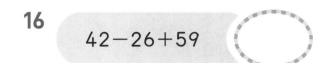

🐙 빈 곳에 알맞은 수를 써넣으세요.

15 34+19−28 ⬭

16 42−26+59 ⬭

17 27+48−37 ⬭

18 52−35+44 ⬭

19 46+39−56 ⬭

20 60−26+48 ⬭

21 58+25−39 ⬭

22 71−57+37 ⬭

23 76+18−66 ⬭

24 85−49+26 ⬭

25 77+19−57 ⬭

26 92−68+35 ⬭

◎ 4단계 세 수의 덧셈과 뺄셈

3. 세 수의 덧셈과 뺄셈

🐙 계산을 하세요.

1 27+10-14

2 35-17+26

3 48+19-38

4 58-29+35

5 55+38-46

6 43-18+27

7 37+24-48

8 53-35+43

9 46+38-59

10 61-27+39

11 58+24-47

12 74-55+26

13 64+27-56

14 82-46+38

🐙 빈 곳에 알맞은 수를 써넣으세요.

15 | 45 | +29 | −56 | |

16 | 32 | −15 | +46 | |

17 | 57 | +36 | −48 | |

18 | 54 | −38 | +26 | |

19 | 48 | +44 | −66 | |

20 | 76 | −49 | +65 | |

21 | 62 | +29 | −37 | |

22 | 82 | −56 | +37 | |

💡 생활 속 연산

승민이는 버스를 타고 할머니 댁에 가려고 합니다. 버스에는 승민이를 포함하여 승객 32명이 타고 있었습니다. 이번 정류장에서 15명이 내리고, 18명이 탔다면 버스에 타고 있는 승객은 몇 명인지 구하세요.

(   )명

◎ 4단계 세 수의 덧셈과 뺄셈

마무리 연산

🐙 계산을 하세요.

1 18+11+34

2 46−11−28

3 32+29+16

4 44−26−13

5 25+14+39

6 56−14−22

7 45+19+28

8 62−28−18

9 27+35+55

10 56−29−14

11 39+27+41

12 73−39−16

13 78+16+42

14 86−28−31

🐙 계산을 하세요.

15 31+11-24

16 32-14+25

17 24+29-18

18 40-15+27

19 33+18-24

20 53-34+18

21 38+26-45

22 60-36+27

23 47+28-39

24 67-29+45

25 55+19-36

26 77-41+14

27 76+17-48

28 83-59+48

29 67+28-54

30 91-57+28

학습 결과와
시간을 써 보세요!

학습 내용	학습 회차	맞힌 개수/걸린 시간
1. 곱셈식으로 나타내기	DAY 01	/
	DAY 02	/
	DAY 03	/
	DAY 04	/
	DAY 05	/
마무리 연산	DAY 06	/

◎ 5단계 곱셈

1. 곱셈식으로 나타내기

예 풍선의 수를 곱셈식으로 나타내기

●의 ■배
➡ ●＋●＋……＋●
　　　└──── ■번 ────┘
➡ ●×■

풍선의 수는 4의 5배입니다.

┌ 덧셈식: 4＋4＋4＋4＋4＝20
└ 곱셈식: 4×5＝20

➜ '4 곱하기 5는 20과 같습니다.'라고 읽어.

🐙 그림을 보고 ☐ 안에 알맞은 수를 써넣으세요.

1

2＋2＋2＋2＋2＝☐

➜ 2×☐＝☐

2

9＋9＝☐

➜ 9×☐＝☐

3

5＋5＋5＝☐

➜ 5×☐＝☐

4

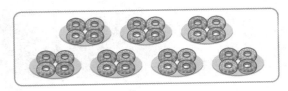

4＋4＋4＋4＋4＋4＋4＝☐

➜ 4×☐＝☐

🐙 ☐ 안에 알맞은 수를 써넣으세요.

5 $2+2+2+2=$ ☐

➡ $2 \times$ ☐ $=$ ☐

6 $3+3+3=$ ☐

➡ $3 \times$ ☐ $=$ ☐

7 $5+5+5+5+5+5=$ ☐

➡ $5 \times$ ☐ $=$ ☐

8 $4+4+4+4+4=$ ☐

➡ $4 \times$ ☐ $=$ ☐

9 $6+6+6=$ ☐

➡ $6 \times$ ☐ $=$ ☐

10 $7+7+7+7=$ ☐

➡ $7 \times$ ☐ $=$ ☐

11 $8+8+8+8+8+8=$ ☐

➡ $8 \times$ ☐ $=$ ☐

12 $9+9+9=$ ☐

➡ $9 \times$ ☐ $=$ ☐

13 $2+2+2+2+2=$ ☐

➡ $2 \times$ ☐ $=$ ☐

14 $3+3+3+3+3+3=$ ☐

➡ $3 \times$ ☐ $=$ ☐

15 $8+8+8+8=$ ☐

➡ $8 \times$ ☐ $=$ ☐

16 $9+9+9+9+9=$ ☐

➡ $9 \times$ ☐ $=$ ☐

◎ 5단계 곱셈

1. 곱셈식으로 나타내기

🐙 그림을 보고 ☐ 안에 알맞은 수를 써넣으세요.

1

$3+3+3+3+\boxed{}=\boxed{}$

➡ $3\times\boxed{}=\boxed{}$

2

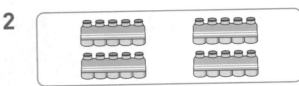

$5+5+\boxed{}+\boxed{}=\boxed{}$

➡ $5\times\boxed{}=\boxed{}$

3

$6+6+\boxed{}+\boxed{}=\boxed{}$

➡ $6\times\boxed{}=\boxed{}$

4

$7+\boxed{}+\boxed{}=\boxed{}$

➡ $7\times\boxed{}=\boxed{}$

5

$8+8+\boxed{}=\boxed{}$

➡ $8\times\boxed{}=\boxed{}$

6

$9+9+9+\boxed{}=\boxed{}$

➡ $9\times\boxed{}=\boxed{}$

🐙 ☐ 안에 알맞은 수를 써넣으세요.

7 $6+6+6+6+6+6=$☐

➜ $6\times$☐$=$☐

8 $5+5+5+5+5=$☐

➜ $5\times$☐$=$☐

9 $7+7+7+7+7=$☐

➜ $7\times$☐$=$☐

10 $8+8+8+8+8=$☐

➜ $8\times$☐$=$☐

11 $9+9+9+9+9+9=$☐

➜ $9\times$☐$=$☐

12 $3+3+3+3+3+3=$☐

➜ $3\times$☐$=$☐

13 $2+2+2+2+2=$☐

➜ $2\times$☐$=$☐

14 $4+4+4=$☐

➜ $4\times$☐$=$☐

15 $6+6+6+6+6+6+6+6$
$=$☐

➜ $6\times$☐$=$☐

16 $7+7+7+7+7+7+7$
$=$☐

➜ $7\times$☐$=$☐

17 $9+9+9+9+9+9+9$
$=$☐

➜ $9\times$☐$=$☐

18 $8+8+8+8+8+8+8+8$
$=$☐

➜ $8\times$☐$=$☐

1. 곱셈식으로 나타내기

🐙 그림을 보고 □ 안에 알맞은 수를 써넣으세요.

1

$3+3+3+3+\boxed{}=\boxed{}$

➡ $3\times\boxed{}=\boxed{}$

2

$4+4+4+4+4+\boxed{}=\boxed{}$

➡ $4\times\boxed{}=\boxed{}$

3

$7+7+7+7+7+\boxed{}=\boxed{}$

➡ $7\times\boxed{}=\boxed{}$

4

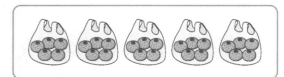

$5+5+5+\boxed{}+\boxed{}=\boxed{}$

➡ $5\times\boxed{}=\boxed{}$

5

$2+2+2+2+2+\boxed{}+\boxed{}$

$=\boxed{}$

➡ $2\times\boxed{}=\boxed{}$

6

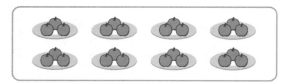

$3+3+3+3+3+3+3+\boxed{}$

$=\boxed{}$

➡ $3\times\boxed{}=\boxed{}$

🐙 □ 안에 알맞은 수를 써넣으세요.

7 $4+4+4+4+4=\boxed{}$

➡ $4\times\boxed{}=\boxed{}$

8 $6+6+6+6+6+6=\boxed{}$

➡ $6\times\boxed{}=\boxed{}$

9 $3+3+3+3+3+3=\boxed{}$

➡ $3\times\boxed{}=\boxed{}$

10 $8+8+8+8+8=\boxed{}$

➡ $8\times\boxed{}=\boxed{}$

11 $6+6+6+6+6=\boxed{}$

➡ $6\times\boxed{}=\boxed{}$

12 $3+3+3+3=\boxed{}$

➡ $3\times\boxed{}=\boxed{}$

13 $5+5+5+5+5=\boxed{}$

➡ $5\times\boxed{}=\boxed{}$

14 $9+9+9+9=\boxed{}$

➡ $9\times\boxed{}=\boxed{}$

15 $7+7+7+7+7+7+7+7$
$=\boxed{}$

➡ $7\times\boxed{}=\boxed{}$

16 $2+2+2+2+2+2+2+2$
$=\boxed{}$

➡ $2\times\boxed{}=\boxed{}$

17 $5+5+5+5+5+5+5$
$=\boxed{}$

➡ $5\times\boxed{}=\boxed{}$

18 $9+9+9+9+9+9+9+9$
$=\boxed{}$

➡ $9\times\boxed{}=\boxed{}$

◎ 5단계 곱셈

1. 곱셈식으로 나타내기

🐙 그림을 보고 ☐ 안에 알맞은 수를 써넣으세요.

1

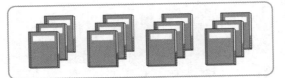

3씩 4묶음 ➔ 3 × ☐ = ☐

2

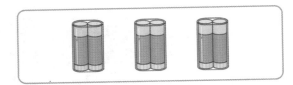

2씩 3묶음 ➔ 2 × ☐ = ☐

3

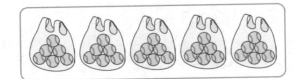

6씩 5묶음 ➔ 6 × ☐ = ☐

4

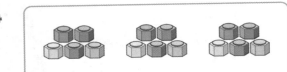

5씩 3묶음 ➔ 5 × ☐ = ☐

5

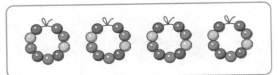

9씩 4묶음 ➔ 9 × ☐ = ☐

6

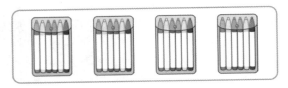

6씩 4묶음 ➔ 6 × ☐ = ☐

7

7씩 2묶음 ➔ 7 × ☐ = ☐

8

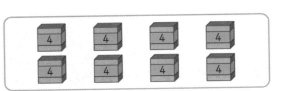

4씩 8묶음 ➔ 4 × ☐ = ☐

🐙 ☐ 안에 알맞은 수를 써넣으세요.

9

2씩 6묶음

덧셈식 $2+2+2+$ ☐ $+$ ☐ $+$ ☐ $=$ ☐

곱셈식 $2 ×$ ☐ $=$ ☐

10

4씩 5묶음

덧셈식 $4+4+$ ☐ $+$ ☐ $+$ ☐ $=$ ☐

곱셈식 $4 ×$ ☐ $=$ ☐

11

8씩 7묶음

덧셈식 $8+8+8+8+$ ☐ $+$ ☐ $+$ ☐ $=$ ☐

곱셈식 $8 ×$ ☐ $=$ ☐

12

7씩 9묶음

덧셈식 $7+7+7+7+7+7+$ ☐ $+$ ☐ $+$ ☐ $=$ ☐

곱셈식 $7 ×$ ☐ $=$ ☐

13

4씩 8묶음

덧셈식 $4+4+4+4+4+$ ☐ $+$ ☐ $+$ ☐ $=$ ☐

곱셈식 $4 ×$ ☐ $=$ ☐

◎ 5단계 곱셈

1. 곱셈식으로 나타내기

🐙 그림을 보고 ☐ 안에 알맞은 수를 써넣으세요.

1

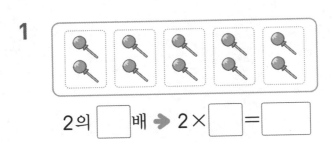

2의 ☐ 배 ➜ 2 × ☐ = ☐

2

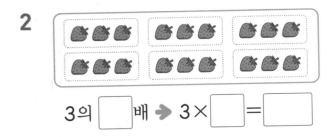

3의 ☐ 배 ➜ 3 × ☐ = ☐

3

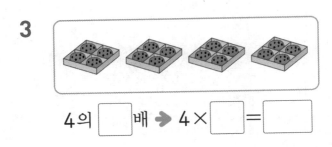

4의 ☐ 배 ➜ 4 × ☐ = ☐

4

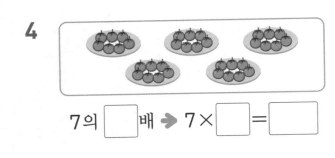

7의 ☐ 배 ➜ 7 × ☐ = ☐

5

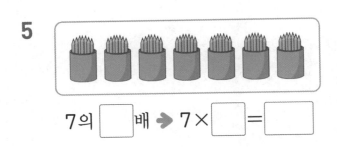

7의 ☐ 배 ➜ 7 × ☐ = ☐

6

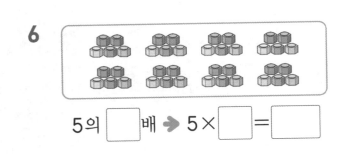

5의 ☐ 배 ➜ 5 × ☐ = ☐

7

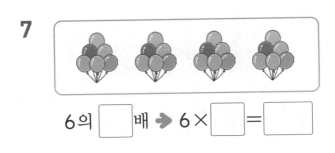

6의 ☐ 배 ➜ 6 × ☐ = ☐

8

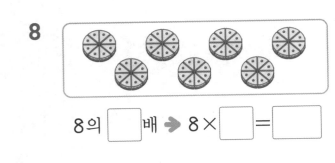

8의 ☐ 배 ➜ 8 × ☐ = ☐

🐙 □ 안에 알맞은 수를 써넣으세요.

9

3의 4배

덧셈식 3+□+□+□=□

곱셈식 3×□=□

10

5의 6배

덧셈식 5+5+5+□+□+□=□

곱셈식 5×□=□

11

8의 8배

덧셈식 8+8+8+8+8+□+□+□=□

곱셈식 8×□=□

12

4의 9배

덧셈식 4+4+4+4+4+4+□+□+□=□

곱셈식 4×□=□

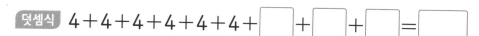

13

9의 8배

덧셈식 9+9+9+9+9+□+□+□=□

곱셈식 9×□=□

◎ 5단계 곱셈

마무리 연산

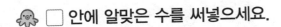 □ 안에 알맞은 수를 써넣으세요.

1 2씩 4묶음
2의 4배 ⟶ 2× □

2 3씩 6묶음
3의 6배 ⟶ 3× □

3 2씩 9묶음
2의 9배 ⟶ 2× □

4 5씩 5묶음
5의 5배 ⟶ 5× □

5 4씩 6묶음
4의 6배 ⟶ 4× □

6 3씩 9묶음
3의 9배 ⟶ 3× □

7 5씩 2묶음
5의 2배 ⟶ 5× □

8 6씩 8묶음
6의 8배 ⟶ 6× □

9 7씩 7묶음
7의 7배 ⟶ 7× □

10 8씩 3묶음
8의 3배 ⟶ 8× □

11 8씩 4묶음
8의 4배 ⟶ 8× □

12 9씩 9묶음
9의 9배 ⟶ 9× □

🐙 ☐ 안에 알맞은 수를 써넣으세요.

13 $2+2+2+\boxed{}+\boxed{}+\boxed{}=\boxed{}$

➡ $2\times\boxed{}=\boxed{}$

14 $4+\boxed{}+\boxed{}+\boxed{}=\boxed{}$

➡ $4\times\boxed{}=\boxed{}$

15 $8+8+8+8+\boxed{}+\boxed{}+\boxed{}=\boxed{}$

➡ $8\times\boxed{}=\boxed{}$

16 $9+\boxed{}+\boxed{}=\boxed{}$

➡ $9\times\boxed{}=\boxed{}$

17 $6+6+6+\boxed{}+\boxed{}+\boxed{}=\boxed{}$

➡ $6\times\boxed{}=\boxed{}$

18 $7+7+7+7+7+\boxed{}+\boxed{}+\boxed{}=\boxed{}$

➡ $7\times\boxed{}=\boxed{}$

19 $3+3+3+3+3+\boxed{}+\boxed{}+\boxed{}+\boxed{}=\boxed{}$

➡ $3\times\boxed{}=\boxed{}$

MEMO

힘수 연산으로 **수학** 기초 체력 UP!

이제 정답을
확인하러 가 볼까?

힘이 붙는 **수학** 연산

정답
초등 2A

금성출판사

차례

🎯 1단계 세 자리 수

1. 세 자리 수

1 0, 10, 0 / 100

2 1, 0, 0 / 100

3 2, 0, 0 / 200

4 4, 0, 0 / 400

5 100	**6** 100	**7** 100
8 300	**9** 500	**10** 600
11 800	**12** 400	**13** 700
14 900		

1. 세 자리 수

1 2, 6, 3 / 263

2 3, 2, 6 / 326

3 4, 4, 7 / 447

4 583	**5** 475	**6** 796
7 367	**8** 294	**9** 827
10 742	**11** 964	

생활 속 연산 235

2. 각 자리의 숫자

1 (위에서부터) 7, 0 / 6

2 (위에서부터) 3, 0, 0 / 8, 0 / 2

3 (위에서부터) 6, 0, 0 / 4, 0 / 8

4 (위에서부터) 7, 0, 0 / 4, 0 / 1

5 60, 8 / 400, 60, 8

6 5, 7 / 50, 7 / 200, 50, 7

7 5, 3, 9 / 30, 9 / 500, 30, 9

8 9, 8, 2 / 900, 80, 2 / 900, 80, 2

2. 각 자리의 숫자

1 80	**2** 500	**3** 60
4 5	**5** 400	**6** 10
7 9	**8** 100	**9** 50
10 3	**11** 500	**12** 80
13 530	**14** 526	**15** 165
16 384	**17** 460	**18** 941
19 752	**20** 815	

생활 속 연산 연필, 도넛

DAY 05
16~17쪽

3. 뛰어서 세기

1 530, 630, 730, 830

2 469, 479, 489, 499

3 590, 600, 610, 620

4 738, 739, 740, 741

5 475, 575, 675, 775

6 534, 634, 734, 834

7 368, 369, 370, 371

8 852, 862, 872, 882

9 577, 587, 597, 607

10 997, 998, 999, 1000

11 710, 720, 730, 740

12 450, 455, 460, 465

DAY 06
18~19쪽

3. 뛰어서 세기

1 100	2 10	3 1
4 100	5 1	6 10
7 100	8 10	9 50
10 1	11 5	12 50

13 534, 634, 734, 834

14 465, 475, 485, 495

15 268, 269, 270, 273

16 736, 746, 776, 786

17 643, 653, 663, 703

18 508, 558, 608, 758

생활 속 연산 560

DAY 07
20~21쪽

4. 수의 크기 비교

1 (위에서부터) 2, 6, 7 / 5, 1, 9 / <

2 (위에서부터) 3, 8, 5 / 4, 2, 3 / <

3 (위에서부터) 5, 3, 2 / 5, 2, 8 / >

4 (위에서부터) 7, 6, 8 / 7, 9, 0 / <

5 (위에서부터) 8, 7, 9 / 8, 7, 3 / >

6 (위에서부터) 4, 6, 7 / 4, 6, 5 / >

7 >	8 >	9 >
10 <	11 >	12 >
13 <	14 >	15 <
16 >	17 >	18 >
19 <	20 <	21 <
22 >		

4. 수의 크기 비교

1 (위에서부터) 3, 5, 2 / 3, 1, 4 / 7, 2, 5 / 725, 314

2 (위에서부터) 2, 8, 4 / 2, 3, 6 / 1, 8, 8 / 284, 188

3 (위에서부터) 5, 3, 7 / 6, 2, 2 / 5, 2, 0 / 622, 520

4 (위에서부터) 8, 3, 4 / 8, 6, 1 / 8, 6, 9 / 869, 834

5 191 ⃝213 △176

6 △563 594 ⃝609

7 438 ⃝475 △398

8 ⃝786 △540 546

9 ⃝540 △489 539

10 △329 ⃝401 397

11 624 ⃝650 △568

12 △731 ⃝803 740

13 △855 ⃝873 858

14 167 △158 ⃝201

15 528 ⃝637 △519

16 278 △245 ⃝307

17 △478 645 ⃝672

18 △738 ⃝763 740

4. 수의 크기 비교

1 734	**2** 534	**3** 572
4 370	**5** 728	**6** 512
7 302	**8** 582	**9** 650

10 983

11 173, 198, 215   **12** 218, 355, 370

13 317, 472, 475   **14** 619, 641, 721

15 436, 483, 488   **16** 699, 829, 894

17 497, 726, 783   **18** 564, 581, 587

생활 속 연산 파이, 쿠키, 초콜릿

마무리 연산

1 468	**2** 371	**3** 825
4 649	**5** 408	**6** 717
7 629	**8** 368	**9** 158
10 835	**11** 2	**12** 100
13 70	**14** 600	**15** 4
16 30	**17** 5	**18** 700
19 30	**20** 9	**21** 900
22 50		

DAY 11

마무리 연산

1 472, 572, 672, 772, 872

2 387, 397, 407, 417, 427

3 259, 260, 261, 262, 264

4 343, 443, 543, 843, 943

5 652, 662, 672, 692, 702

6 993, 994, 998, 999, 1000

7 846, 847, 850, 851, 853

8 228, 233, 238, 258, 263

9 501, 551, 601, 651, 701

10 >   11 >   12 >

13 <   14 <   15 >

16 >   17 <   18 >

19 <   20 >   21 <

22 >   23 <   24 <

25 <

🎯 2단계 덧셈과 뺄셈

DAY 01

1. 받아올림이 있는 (두 자리 수)+(한 자리 수)

1 1, 4 / 1, 4, 4   2 1, 6 / 1, 2, 6

3 1, 3 / 1, 6, 3   4 1, 2 / 1, 3, 2

5 1, 3 / 1, 7, 3   6 1, 3 / 1, 4, 3

7 25   8 43   9 35

10 55   11 36   12 72

13 83   14 61   15 42

16 63   17 90   18 55

19 87   20 62   21 71

DAY 02

1. 받아올림이 있는 (두 자리 수)+(한 자리 수)

1 52   2 33   3 71

4 44   5 84   6 23

7 64   8 32   9 53

10 22   11 75   12 83

13 63   14 35   15 43

16 85   17 92   18 92

19 22   20 27   21 33

22 34   23 41   24 54

25 53   26 62   27 72

28 91

1. 받아올림이 있는 (두 자리 수)+(한 자리 수)

1 32	2 42	3 25
4 61	5 72	6 80
7 44	8 97	9 53
10 30	11 41	12 62
13 78	14 55	15 82
16 52	17 42	18 36
19 25	20 60	21 73
22 41	23 83	24 75
25 62	26 95	27 81

2. 일의 자리에서 받아올림이 있는 (두 자리 수)+(두 자리 수)

1 1, 3 / 1, 5, 3	2 1, 5 / 1, 7, 5
3 1, 2 / 1, 6, 2	4 1, 1 / 1, 7, 1
5 1, 2 / 1, 7, 2	6 1, 4 / 1, 8, 4

7 41	8 55	9 52
10 72	11 54	12 63
13 90	14 63	15 81
16 81	17 72	18 83
19 82	20 94	21 90

1. 받아올림이 있는 (두 자리 수)+(한 자리 수)

1 24	2 21	3 30
4 31	5 32	6 41
7 42	8 48	9 50
10 51	11 55	12 62
13 64	14 68	15 70
16 72	17 81	18 91
19 23	20 32	21 33
22 43	23 45	24 54
25 52	26 60	27 70
28 73		

생활 속 연산 46

2. 일의 자리에서 받아올림이 있는 (두 자리 수)+(두 자리 수)

1 54	2 42	3 61
4 53	5 70	6 71
7 54	8 84	9 61
10 75	11 73	12 81
13 80	14 94	15 93
16 87	17 90	18 91
19 31	20 63	21 61
22 71	23 70	24 80
25 92	26 82	

DAY 07
44~45쪽

2. 일의 자리에서 받아올림이 있는 (두 자리 수)+(두 자리 수)

1 44	2 33	3 52
4 62	5 53	6 72
7 82	8 83	9 94
10 90	11 65	12 85
13 72	14 81	15 92
16 31	17 71	18 53
19 54	20 71	21 73
22 94	23 77	24 80
25 90	26 82	27 91

DAY 08
46~47쪽

2. 일의 자리에서 받아올림이 있는 (두 자리 수)+(두 자리 수)

1 43	2 61	3 60
4 42	5 93	6 61
7 75	8 77	9 56
10 71	11 60	12 94
13 86	14 91	15 83
16 75	17 81	18 92

19 (위에서부터) 42, 53

20 (위에서부터) 63, 44

21 (위에서부터) 60, 83

22 (위에서부터) 63, 84

23 (위에서부터) 72, 81

24 (위에서부터) 87, 92

생활 속 연산 41

DAY 09
48~49쪽

3. 십의 자리에서 받아올림이 있는 (두 자리 수)+(두 자리 수)

1 8 / 1, 1, 2, 8	2 5 / 1, 1, 4, 5
3 7 / 1, 1, 4, 7	4 7 / 1, 1, 5, 7

5 1, 1 / 1, 1, 1, 3, 1

6 1, 1 / 1, 1, 1, 2, 1

7 107	8 116	9 118
10 128	11 117	12 125
13 127	14 148	15 113
16 150	17 144	18 121
19 140	20 132	21 165

DAY 10
50~51쪽

3. 십의 자리에서 받아올림이 있는 (두 자리 수)+(두 자리 수)

1 108	2 129	3 116
4 107	5 178	6 143
7 154	8 108	9 138
10 145	11 131	12 111
13 145	14 122	15 150
16 133	17 145	18 112
19 107	20 118	21 127
22 118	23 128	24 116
25 132	26 122	27 114
28 150	29 123	30 142

DAY 11

3. 십의 자리에서 받아올림이 있는 (두 자리 수)+(두 자리 수)

1 109	**2** 117	**3** 107
4 108	**5** 128	**6** 126
7 117	**8** 124	**9** 146
10 132	**11** 114	**12** 113
13 122	**14** 144	**15** 182
16 117	**17** 119	**18** 105
19 155	**20** 140	**21** 122
22 120	**23** 131	**24** 113
25 142	**26** 144	**27** 131

DAY 12

3. 십의 자리에서 받아올림이 있는 (두 자리 수)+(두 자리 수)

1 108	**2** 107	**3** 118
4 115	**5** 126	**6** 138
7 118	**8** 127	**9** 145
10 121	**11** 130	**12** 104
13 115	**14** 150	**15** 113
16 135	**17** 131	**18** 142
19 112	**20** 109	**21** 117
22 131	**23** 148	**24** 116
25 131	**26** 167	

생활 속 연산 164

DAY 13

4. 여러 가지 방법으로 덧셈하기

1 10, 36, 44   **2** 20, 50, 66

3 6, 50, 71   **4** 6, 62, 20, 82

5 8, 8, 61 / 11, 61 / 7, 30, 61 / 2, 40, 61

6 10, 69, 75 / 6, 60, 75 / 15, 15, 75 /

55, 55, 75

7 5, 67, 5, 72 / 5, 12, 72 / 3, 50, 72 /

5, 30, 72

DAY 14

4. 여러 가지 방법으로 덧셈하기

1 10, 35, 43   **2** 20, 70, 82

3 30, 86, 93   **4** 30, 50, 61

5 50, 87, 96   **6** 10, 60, 71

7 6, 40, 81   **8** 1, 30, 77

9 2, 30, 62   **10** 5, 20, 93

11 4, 50, 84   **12** 2, 70, 94

13 $28+60+4=88+4=92$

14 $53+20+8=73+8=81$

15 $30+10+6+9=40+15=55$

16 $40+20+5+7=60+12=72$

17 $57+3+15=60+15=75$

18 $49+1+22=50+22=72$

19 $66+1+29=66+30=96$

20 $33+5+15=33+20=53$

DAY 15

4. 여러 가지 방법으로 덧셈하기

1 $49+10+4=59+4=63$

2 $38+20+7=58+7=65$

3 $24+50+8=74+8=82$

4 $30+20+4+8=50+12=62$

5 $50+10+6+6=60+12=72$

6 $40+30+8+7=70+15=85$

7 $28+2+61=30+61=91$

8 $59+1+15=60+15=75$

9 $37+3+25=40+25=65$

10 예 $48+18=48+10+8$
$=58+8=66$

　　예 $48+18=40+10+8+8$
$=50+16=66$

11 예 $29+46=29+40+6$
$=69+6=75$

　　예 $29+46=20+40+9+6$
$=60+15=75$

12 예 $55+37=55+5+32$
$=60+32=92$

　　예 $55+37=52+3+37$
$=52+40=92$

13 예 $35+39=35+5+34$
$=40+34=74$

　　예 $35+39=34+1+39$
$=34+40=74$

생활 속 연산 95

DAY 16

5. 받아내림이 있는 (두 자리 수)-(한 자리 수)

1 1, 10, 8 / 1, 10, 1, 8

2 2, 10, 7 / 2, 10, 2, 7

3 3, 10, 7 / 3, 10, 3, 7

4 3, 10, 4 / 3, 10, 3, 4

5 4, 10, 7 / 4, 10, 4, 7

6 6, 10, 5 / 6, 10, 6, 5

7 26	**8** 27	**9** 35
10 39	**11** 46	**12** 48
13 48	**14** 56	**15** 56
16 59	**17** 64	**18** 67
19 69	**20** 77	**21** 83

DAY 17

5. 받아내림이 있는 (두 자리 수)-(한 자리 수)

1 19	**2** 27	**3** 38
4 27	**5** 28	**6** 35
7 37	**8** 48	**9** 48
10 55	**11** 58	**12** 69
13 67	**14** 76	**15** 78
16 79	**17** 82	**18** 88
19 15	**20** 26	**21** 25
22 37	**23** 36	**24** 47
25 49	**26** 57	**27** 58
28 67		

5. 받아내림이 있는 (두 자리 수)−(한 자리 수)

1　29	2　28	3　39
4　38	5　48	6　46
7　56	8　67	9　77
10　12	11　26	12　37
13　56	14　76	15　88
16　26	17　38	18　37
19　46	20　47	21　54
22　58	23　65	24　66
25　79	26　78	27　86

5. 받아내림이 있는 (두 자리 수)−(한 자리 수)

1　18	2　19	3　28
4　38	5　42	6　47
7　48	8　56	9　57
10　59	11　68	12　67
13　69	14　79	15　79
16　78	17　87	18　89
19　28	20　29	21　34
22　37	23　46	24　54
25　66	26　67	27　78
28　89		

생활 속 연산 24

6. 받아내림이 있는 (몇십)−(몇십몇)

1　2, 10, 5 / 2, 10, 1, 5		
2　3, 10, 9 / 3, 10, 1, 9		
3　4, 10, 4 / 4, 10, 2, 4		
4　5, 10, 3 / 5, 10, 4, 3		
5　6, 10, 2 / 6, 10, 2, 2		
6　7, 10, 6 / 7, 10, 4, 6		
7　9	8　11	9　7
10　28	11　14	12　35
13　13	14　37	15　28
16　43	17　26	18　49
19　22	20　67	21　41

6. 받아내림이 있는 (몇십)−(몇십몇)

1　14	2　8	3　28
4　19	5　25	6　33
7　34	8　29	9　23
10　53	11　46	12　18
13　33	14　44	15　29
16　26	17　47	18　24
19　6	20　23	21　36
22　21	23　18	24　34
25　36	26　29	

DAY 22
6. 받아내림이 있는 (몇십)-(몇십몇)

1 21	2 24	3 6
4 43	5 27	6 41
7 27	8 44	9 35
10 19	11 22	12 6
13 45	14 43	15 14
16 8	17 16	18 19
19 7	20 35	21 18
22 44	23 13	24 63
25 38		

DAY 23
6. 받아내림이 있는 (몇십)-(몇십몇)

1 9	2 17	3 7
4 26	5 12	6 9
7 29	8 13	9 31
10 43	11 21	12 17
13 35	14 28	15 24
16 54	17 45	18 28

19 (위에서부터) 13, 3 20 (위에서부터) 39, 19

21 (위에서부터) 23, 3 22 (위에서부터) 28, 8

23 (위에서부터) 36, 6 24 (위에서부터) 38, 8

25 (위에서부터) 37, 17 26 (위에서부터) 15, 5

생활 속 연산 16

DAY 24
7. 받아내림이 있는 (두 자리 수)-(두 자리 수)

1 3, 10, 7 / 3, 10, 1, 7

2 4, 10, 7 / 4, 10, 1, 7

3 5, 10, 4 / 5, 10, 3, 4

4 6, 10, 5 / 6, 10, 1, 5

5 7, 10, 6 / 7, 10, 4, 6

6 8, 10, 8 / 8, 10, 4, 8

7 7	8 16	9 7
10 26	11 18	12 28
13 16	14 38	15 15
16 47	17 28	18 28
19 17	20 56	21 16

DAY 25
7. 받아내림이 있는 (두 자리 수)-(두 자리 수)

1 8	2 18	3 7
4 29	5 18	6 25
7 18	8 44	9 28
10 8	11 47	12 28
13 19	14 46	15 39
16 75	17 49	18 17
19 5	20 16	21 8
22 7	23 15	24 37
25 19	26 38	27 17
28 38	29 28	30 29

7. 받아내림이 있는 (두 자리 수)-(두 자리 수)

1 9	**2** 18	**3** 18
4 12	**5** 19	**6** 25
7 17	**8** 37	**9** 18
10 46	**11** 34	**12** 37
13 18	**14** 28	**15** 16

16 (위에서부터) 7, 5

17 (위에서부터) 35, 17

18 (위에서부터) 38, 19

19 (위에서부터) 37, 27

20 (위에서부터) 27, 18

21 (위에서부터) 28, 17

22 (위에서부터) 39, 55

23 (위에서부터) 28, 16

7. 받아내림이 있는 (두 자리 수)-(두 자리 수)

1 6	**2** 16	**3** 8
4 19	**5** 17	**6** 37
7 17	**8** 9	**9** 38
10 18	**11** 9	**12** 29
13 19	**14** 59	**15** 56
16 47	**17** 28	**18** 58
19 17	**20** 18	**21** 16
22 26	**23** 27	**24** 36
25 38	**26** 57	

생활 속 연산 56

8. 여러 가지 방법으로 뺄셈하기

1 20, 33, 26	**2** 18, 12, 16
3 31, 30, 25	**4** 50, 22, 23

5 10, 37, 28 / 19, 21, 28 / 17, 30, 28 / 20, 27, 28

6 10, 41, 35 / 16, 34, 35 / 11, 40, 35 / 20, 31, 35

7 40, 33, 28 / 45, 25, 28 / 43, 30, 28 / 50, 23, 28

8. 여러 가지 방법으로 뺄셈하기

1 30, 36, 28	**2** 18, 12, 14
3 60, 33, 28	**4** 26, 14, 19
5 20, 26, 18	**6** 57, 23, 26
7 34, 30, 27	**8** 20, 33, 35
9 42, 30, 26	**10** 30, 24, 25
11 35, 30, 29	**12** 50, 24, 27

13 $65-30-7=35-7=28$

14 $82-30-4=52-4=48$

15 $40-16+4=24+4=28$

16 $70-27+3=43+3=46$

17 $32-12-2=20-2=18$

18 $96-76-2=20-2=18$

19 $57-20+1=37+1=38$

20 $81-60+4=21+4=25$

DAY 30

8. 여러 가지 방법으로 뺄셈하기

1 $53-30-7=23-7=16$

2 $75-20-9=55-9=46$

3 $92-50-6=42-6=36$

4 $30-18+4=12+4=16$

5 $50-26+4=24+4=28$

6 $70-39+6=31+6=37$

7 $43-23-2=20-2=18$

8 $64-34-5=30-5=25$

9 $85-55-3=30-3=27$

10 ㉮ $64-26=64-20-6=44-6=38$

   ㉮ $64-26=60-26+4=34+4=38$

11 ㉮ $52-37=52-30-7=22-7=15$

   ㉮ $52-37=50-37+2=13+2=15$

12 ㉮ $71-45=71-41-4=30-4=26$

   ㉮ $71-45=71-50+5=21+5=26$

13 ㉮ $93-66=93-63-3=30-3=27$

   ㉮ $93-66=93-70+4=23+4=27$

생활 속 연산 | 7

DAY 31

마무리 연산

1	54	2	62	3	86
4	42	5	67	6	80
7	115	8	115	9	129

10	132	11	131	12	150
13	123	14	144	15	142
16	33	17	53	18	75
19	51	20	82	21	71
22	85	23	72	24	86
25	107	26	107	27	135
28	127	29	128	30	159
31	132	32	131	33	162
34	123	35	140	36	123

DAY 32

마무리 연산

1	27	2	35	3	53
4	25	5	11	6	26
7	44	8	23	9	24
10	27	11	28	12	58
13	36	14	34	15	17
16	9	17	26	18	38
19	46	20	59	21	67
22	18	23	17	24	24
25	19	26	33	27	26
28	9	29	24	30	18
31	37	32	27	33	16
34	48	35	66	36	19

1. 덧셈과 뺄셈의 관계

1	15 / 9	2	14 / 7
3	28 / 6	4	25 / 8
5	17 / 6	6	28 / 4
7	34 / 9	8	39 / 5

9 $46-27=19 / 46-19=27$

10 $62-19=43 / 62-43=19$

11 $84-67=17 / 84-17=67$

12 $77-48=29 / 77-29=48$

13 $74-55=19 / 74-19=55$

14 $92-28=64 / 92-64=28$

15 $95-64=31 / 95-31=64$

1. 덧셈과 뺄셈의 관계

1	8 / 14	2	6 / 9
3	18 / 5	4	27 / 7
5	5 / 26	6	8 / 18
7	25 / 9	8	15 / 7

9 $18+28=46 / 28+18=46$

10 $14+37=51 / 37+14=51$

11 $36+29=65 / 29+36=65$

12 $28+45=73 / 45+28=73$

13 $54+27=81 / 27+54=81$

14 $17+67=84 / 67+17=84$

15 $39+56=95 / 56+39=95$

1. 덧셈과 뺄셈의 관계

1 $41 / 41-26=15, 41-15=26$

2 $61 / 61-39=22, 61-22=39$

3 $38, 80 / 80-42=38, 80-38=42$

4 $58, 74 / 74-16=58, 74-58=16$

5 $37 / 65-37=28, 65-28=37$

6 $54 / 92-54=38, 92-38=54$

7 $17, 85 / 85-17=68, 85-68=17$

8 $48, 83 / 83-48=35, 83-35=48$

9 $68 / 68+17=85, 17+68=85$

10 $29 / 29+27=56, 27+29=56$

11 $70, 27 / 27+43=70, 43+27=70$

12 $51, 33 / 33+18=51, 18+33=51$

13 $82, 48 / 34+48=82, 48+34=82$

14 $74, 56 / 18+56=74, 56+18=74$

생활 속 연산 11 / 11, 28

DAY 04
2. 덧셈식에서 □의 값 구하기

1 32 / 29		2 26 / 28	
3 47 / 25		4 36 / 17	
5 16 / 49		6 53 / 28	
7 49 / 42		8 34 / 39	
9 19	10 43	11 49	
12 18	13 28	14 19	
15 18	16 27	17 29	
18 17	19 29	20 16	
21 28	22 18		

DAY 05
2. 덧셈식에서 □의 값 구하기

1 28 / 26		2 15 / 17	
3 31 / 29		4 36 / 46	
5 45 / 17		6 47 / 36	
7 56 / 27		8 58 / 34	
9 19	10 14	11 25	
12 27	13 33	14 38	
15 42	16 46	17 54	
18 57	19 63	20 65	
21 54	22 77		

DAY 06
2. 덧셈식에서 □의 값 구하기

1 37	2 27	3 29
4 18	5 39	6 25
7 48	8 47	9 38
10 36	11 12	12 35
13 17	14 66	15 17
16 28	17 38	18 62
19 28	20 47	21 68
22 33	23 48	24 28
25 29	26 73	

생활 속 연산 23

DAY 07
3. 뺄셈식에서 □의 값 구하기

1 17 / 12		2 15 / 19	
3 25 / 17		4 22 / 29	
5 19 / 38		6 35 / 28	
7 48 / 18		8 45 / 28	
9 18	10 15	11 15	
12 25	13 36	14 15	
15 24	16 36	17 32	
18 46	19 44	20 58	
21 35	22 48		

3. 뺄셈식에서 □의 값 구하기

1 18 / 32	2 25 / 62	
3 28 / 72	4 39 / 90	
5 36 / 63	6 48 / 65	
7 56 / 80	8 45 / 82	
9 34	10 31	11 42
12 45	13 52	14 55
15 61	16 64	17 73
18 75	19 81	20 84
21 90	22 92	

3. 뺄셈식에서 □의 값 구하기

1 17	2 27	3 19
4 48	5 29	6 64
7 28	8 77	9 38
10 66	11 43	12 78
13 47	14 83	15 25
16 42	17 17	18 50
19 35	20 62	21 57
22 71	23 54	24 87

생활 속 연산 28

마무리 연산

1 14, 29 / 29, 14		
2 61, 25 / 61, 36		
3 85, 57 / 85, 28, 57		
4 92, 34 / 92, 58, 34		
5 36, 54 / 18, 54		
6 26, 53 / 27, 53		
7 28, 73 / 45, 28, 73		
8 66, 91 / 66, 25, 91		
9 45	10 24	11 28
12 32	13 48	14 53
15 68	16 27	17 17
18 94	19 37	20 65
21 17	22 85	23 48
24 98		

🎯 4단계 세 수의 덧셈과 뺄셈

DAY 01 120~121쪽

1. 세 수의 덧셈

1 45, 51 / 51	2 27, 51 / 51
3 41, 64 / 64	4 63, 72 / 72
5 72, 80 / 80	6 51, 74 / 74
7 52, 80 / 80	8 56, 92 / 92
9 42, 91 / 91	10 54, 81 / 81
11 71, 100 / 100	12 62, 104 / 104
13 73, 116 / 116	14 48, 124 / 124
15 92, 115 / 115	16 40, 129 / 129

DAY 02 122~123쪽

1. 세 수의 덧셈

1 51	2 70	3 79
4 61	5 90	6 82
7 96	8 82	9 103
10 109	11 113	12 139
13 118	14 146	15 82
16 88	17 115	18 135
19 102	20 134	21 135
22 127	23 111	24 128

DAY 03 124~125쪽

1. 세 수의 덧셈

1 78	2 95	3 90
4 105	5 99	6 81
7 109	8 97	9 119
10 138	11 126	12 94
13 105	14 125	15 91
16 84	17 125	18 110
19 103	20 118	21 131
22 107	23 130	24 130

DAY 04 126~127쪽

1. 세 수의 덧셈

1 81	2 84	3 89
4 96	5 91	6 104
7 93	8 115	9 114
10 125	11 110	12 111
13 126	14 134	15 82
16 90	17 94	18 80
19 121	20 114	21 110
22 126	23 125	24 134

생활 속 연산 50

2. 세 수의 뺄셈

1 22, 4 / 4		**2** 15, 9 / 9	
3 26, 9 / 9		**4** 27, 8 / 8	
5 36, 12 / 12		**6** 34, 19 / 19	
7 25, 7 / 7		**8** 27, 8 / 8	
9 25, 9 / 9		**10** 34, 6 / 6	
11 35, 18 / 18		**12** 37, 25 / 25	
13 46, 33 / 33		**14** 47, 29 / 29	
15 48, 19 / 19		**16** 35, 19 / 19	

2. 세 수의 뺄셈

1 16	**2** 19	**3** 7
4 10	**5** 14	**6** 15
7 19	**8** 13	**9** 11
10 22	**11** 17	**12** 13
13 10	**14** 19	**15** 16
16 10	**17** 18	**18** 12
19 18	**20** 11	**21** 16
22 20	**23** 16	**24** 30

2. 세 수의 뺄셈

1 13	**2** 19	**3** 8
4 21	**5** 3	**6** 14
7 19	**8** 35	**9** 25
10 33	**11** 26	**12** 18
13 31	**14** 18	**15** 13
16 9	**17** 8	**18** 14
19 6	**20** 23	**21** 22
22 27	**23** 19	**24** 25
25 17	**26** 18	

2. 세 수의 뺄셈

1 20	**2** 13	**3** 14
4 14	**5** 16	**6** 9
7 25	**8** 6	**9** 18
10 21	**11** 16	**12** 19
13 26	**14** 33	**15** 14
16 13	**17** 26	**18** 17
19 20	**20** 29	**21** 18
22 14	**23** 18	**24** 28

생활 속 연산 40

DAY 09

3. 세 수의 덧셈과 뺄셈

1	53, 18 / 18	2	17, 36 / 36
3	73, 36 / 36	4	24, 37 / 37
5	60, 14 / 14	6	43, 62 / 62
7	42, 19 / 19	8	16, 33 / 33
9	46, 30 / 30	10	18, 51 / 51
11	53, 16 / 16	12	28, 47 / 47
13	67, 38 / 38	14	38, 72 / 72
15	96, 52 / 52	16	25, 61 / 61

DAY 11

3. 세 수의 덧셈과 뺄셈

1	32	2	56	3	47
4	33	5	45	6	60
7	58	8	52	9	78
10	54	11	43	12	51
13	46	14	72	15	25
16	75	17	38	18	61
19	29	20	82	21	44
22	51	23	28	24	62
25	39	26	59		

DAY 10

3. 세 수의 덧셈과 뺄셈

1	56	2	40	3	38
4	41	5	42	6	65
7	53	8	73	9	50
10	62	11	15	12	67
13	27	14	74	15	56
16	43	17	38	18	69
19	33	20	94	21	46
22	53	23	17	24	74

DAY 12

3. 세 수의 덧셈과 뺄셈

1	23	2	44	3	29
4	64	5	47	6	52
7	13	8	61	9	25
10	73	11	35	12	45
13	35	14	74	15	18
16	63	17	45	18	42
19	26	20	92	21	54
22	63				

생활 속 연산 35

마무리 연산

1 63	2 7	3 77
4 5	5 78	6 20
7 92	8 16	9 117
10 13	11 107	12 18
13 136	14 27	15 18
16 43	17 35	18 52
19 27	20 37	21 19
22 51	23 36	24 83
25 38	26 50	27 45
28 72	29 41	30 62

5단계 곱셈

1. 곱셈식으로 나타내기

1 10 / 5, 10	2 18 / 2, 18
3 15 / 3, 15	4 28 / 7, 28
5 8 / 4, 8	6 9 / 3, 9
7 30 / 6, 30	8 20 / 5, 20
9 18 / 3, 18	10 28 / 4, 28
11 48 / 6, 48	12 27 / 3, 27
13 10 / 5, 10	14 18 / 6, 18
15 32 / 4, 32	16 45 / 5, 45

1. 곱셈식으로 나타내기

1 3, 15 / 5, 15	2 5, 5, 20 / 4, 20
3 6, 6, 24 / 4, 24	4 7, 7, 21 / 3, 21
5 8, 24 / 3, 24	6 9, 36 / 4, 36
7 36 / 6, 36	8 25 / 5, 25
9 35 / 5, 35	10 40 / 5, 40
11 54 / 6, 54	12 18 / 6, 18
13 10 / 5, 10	14 12 / 3, 12
15 48 / 8, 48	16 49 / 7, 49
17 63 / 7, 63	18 64 / 8, 64

DAY 03 152~153쪽

1. 곱셈식으로 나타내기

1 3, 15 / 5, 15
2 4, 24 / 6, 24
3 7, 42 / 6, 42
4 5, 5, 25 / 5, 25
5 2, 2, 14 / 7, 14
6 3, 24 / 8, 24
7 20 / 5, 20
8 36 / 6, 36
9 18 / 6, 18
10 40 / 5, 40
11 30 / 5, 30
12 12 / 4, 12
13 25 / 5, 25
14 36 / 4, 36
15 56 / 8, 56
16 16 / 8, 16
17 35 / 7, 35
18 72 / 8, 72

DAY 04 154~155쪽

1. 곱셈식으로 나타내기

1 4, 12
2 3, 6
3 5, 30
4 3, 15
5 4, 36
6 4, 24
7 2, 14
8 8, 32
9 2, 2, 2, 12 / 6, 12
10 4, 4, 4, 20 / 5, 20
11 8, 8, 8, 56 / 7, 56
12 7, 7, 7, 63 / 9, 63
13 4, 4, 4, 32 / 8, 32

DAY 05 156~157쪽

1. 곱셈식으로 나타내기

1 5 / 5, 10
2 6 / 6, 18
3 4 / 4, 16
4 5 / 5, 35
5 7 / 7, 49
6 8 / 8, 40
7 4 / 4, 24
8 7 / 7, 56
9 3, 3, 3, 12 / 4, 12
10 5, 5, 5, 30 / 6, 30
11 8, 8, 8, 64 / 8, 64
12 4, 4, 4, 36 / 9, 36
13 9, 9, 9, 72 / 8, 72

DAY 06 158~159쪽

마무리 연산

1 4
2 6
3 9
4 5
5 6
6 9
7 2
8 8
9 7
10 3
11 4
12 9
13 2, 2, 2, 12 / 6, 12
14 4, 4, 4, 16 / 4, 16
15 8, 8, 8, 56 / 7, 56
16 9, 9, 27 / 3, 27
17 6, 6, 6, 36 / 6, 36
18 7, 7, 7, 56 / 8, 56
19 3, 3, 3, 3, 27 / 9, 27

MEMO

MEMO

힘이 붙는 수학

연산

초등 2A

힘이 붙는
수학
연산

힘이 붙는 **수학** 연산